D0835874
afges

Ik kom niet uit Oost of West
uit de oceaan
of uit de aarde
besta niet uit elementen
ben niet van Adam of Eva
mijn plaats is zonder plaats
een spoor van het spoorloze
ben niet lichaam, niet ziel
ik behoor tot de geliefden
en de roep om
de eerste
de laatste
de binnenste
de buitenste
adem
ademende
mens

Djelal al-din Rumi (1207-1273)

1

Op de dag dat het gebeurde hadden nog weinig mensen door dat het om iets opzienbarends ging, iets dat vele mensen zou aangrijpen en het hele land zou verdelen in voor- en tegenstanders.

Nee, op de dag dat het allemaal begon waren de enigen die een keertje extra achter hun oren krabden twee agenten van de Dienst Koninklijke en Diplomatieke Beveiliging, de DKDB, die hun vreemd uitgedoste arrestant naar een politiecel in Arnhem brachten, een kleine twintig kilometer van de plek in het Veluwepark waar deze figuur verschenen was.

'Ik zeg je, er is iets raars met die gast.'

Joop van Zanden was de dikkere van de twee. Hij was overal dikker, maar vooral in zijn gezicht. Normaal was hij niet de meest spraakzame. Maar nu kon hij er niet over ophouden.

'Waar kwam hij nou ineens vandaan? We hadden dat stuk park vrijgegeven. Alsof-ie uit de lucht kwam donderen.'

Ger Brasem reed de blauwe arrestantenwagen en kauwde tic tacs. Voor hem was het enige opmerkelijke aan de hele geschiedenis dat zijn maat er niet over kon ophouden.

Dat een of andere ludiek geklede demonstrant precies in het stuk bos verscheen dat zij hadden uitgekamd had hij allang geaccepteerd. Ger was alleen maar blij dat het gebeurd was vóór de kroonprins was aangekomen voor zijn bezoek aan het Kröller-Müller Museum. Als die mafkees verschenen was op het moment dat de prins uitstapte, dan waren hun problemen nu veel groter geweest.

'Kom op, kerel, laat het los. Wees blij dat het geen aanslag was. Gewoon een protest of misschien wel iets met dat museum. Wat ze allemaal niet kunst vinden tegenwoordig.'

Ger liet vanuit het doosje de laatste twee witte tic tacs in zijn mond glijden.

'En als-ie nou gewoon ging praten hadden we hem allang laten lopen. Maar ja, als die snuiter zijn muil niet wil opentrekken...'

'Ja, maar toch...' Joop staarde naar de bomen waar ze langsflitsten zonder ze te zien. 'Er is iets met hem. Hij ziet er zo anders uit. Alsof hij... Ik weet niet. Alsof hij... En hoe hij kijkt... en dan dat geluid dat hij maakt. Dat zijn toch geen woorden?'

Joop keek achterom. Het kijkluik naar het arrestantengedeelte zat dicht.

Ger lachte. 'Denk je dat hij in rook is opgegaan? Ik laat je horen dat hij er nog is. Hou je vast.' Hij drukte het gaspedaal verder in. Joop zag de bocht naderen en zette zich schrap. Hij was bekend met de fratsen van zijn partner. Door even de handrem aan te trekken in een scherpe bocht had Ger al menig arrestant van de ene kant van de auto naar de andere doen donderen.

Maar nu hoorden ze alleen het gepiep van de slippende banden. Achter hen bleef het stil. 'Hij zat toch links?' mompelde Ger, terwijl hij in zijn spiegel keek. Daardoor zag hij de bus niet die van de andere kant de volgende bocht naderde. 'Dan zal ik hem...' Ger drukte het gaspedaal dieper in.

Vijftig meter voor de bocht trilde ineens een hoog geluid door de cabine. Het leek wel een zingende zaag, maar dan groot en tragisch, zoals het geluid van een walvis die om zijn moeder roept.

Ger en Joop keken elkaar verwonderd aan. 'Je-ZUS!' riep Ger. De laatste lettergreep kreeg die extra nadruk, omdat op dat moment de bus scholieren verscheen die naar het Kröller-Müller onderweg was.

***

Jay de Bono keek uit het raam. De fase van joligheid was voorbij. Zijn klasgenoten staarden nu net als hij naar buiten, naar de rugleuning van de stoel voor hen of hadden hun ogen dicht.

Busreisjes zorgden voor wisselende stemmingen, dat had hij al op de lagere school ontdekt. Eerst was er een fase van onrust waarbij het vooral belangrijk was wie waar zat. Vervolgens een fase van groepsgevoel, je zat tenslotte met zijn allen in één bus, en als een of andere idioot een lied wilde inzetten gebeurde dat vaak in deze fase. Dan volgde de ijsschotsfase waarbij men weer uiteendreef in allerlei losse groepjes en het vooral belangrijk werd wat men van elkaar vond. En als ze die meningen aan elkaar duidelijk gingen maken kwam je in de eerdergenoemde fase van joligheid. In Jays ervaring kwam het er gewoon op neer dat sommigen de pik hadden op anderen. Het waren dan ook sommigen die het jolig hadden, niet de anderen. Niet hij.

Ten slotte kwam dan de dommelfase, waarin ze nu dus zaten.

Jay voelde zich alleen in de dommelfase op zijn gemak. Niemand had dan de pik op hem. Niemand, ook hijzelf niet, vroeg zich af waar hij wel of niet bij hoorde. Hij kon gewoon uit het raam staren en zich afvragen hoe het zou zijn als hij niet hier in de bus zat, maar in die voorbijrijdende Peugeot 207. Waar zou hij dan heen gaan? Of in die zwarte Audi 4. Stel dat hij daar in zat... Wie zouden dan zijn ouders zijn? Waar zou hij...

Op dat moment ketste een propje gemaakt van een kauwgomwikkel met enige kracht tegen zijn linkeroor. Schuin achter hem ging gejoel op. Het waren er niet veel die joelden. Hoogstens twee. Zonder omkijken wist hij dat het Maarten Gebes en Heino Dijkstal waren. Het waren de laatste stuiptrekkingen van de fase van joligheid.

Meneer Wijnders, de mentor van 3 havo, keek om. Hij was muziekleraar en had om aan zijn uren te komen ook maar de maatschappijleerlessen en het mentorschap op zich genomen. Zijn haardracht was net als zijn muzieksmaak en zijn didactische vaardigheden in de jaren zeventig blijven hangen. Wijnders werd door de scholieren niet gehaat en ook niet geliefd, daarvoor werd hij te weinig opgemerkt.

Jay de Bono zag hem wel. Deels omdat Jay nu eenmaal gewend was om te kijken en deels omdat hij een keer een Stevie Wonder-remix gemaakt had en de oerdomme fout beging om die aan Wijnders te laten horen. Niet dat Wijnders niet enthousiast was geweest, nee het was veel erger, de beste man had het de klas laten horen waardoor Jay er nog een bijnaam bij had gekregen. Naast Bonobo, Bonobeer en Neukaap heette hij nu ook wel Wonderboy of Wonderbono.

Jay verlegde zijn aandacht weer naar de buitenwereld. De bosrijke slingerweg naar het museum gaf hem, geboren en getogen in de stad, genoeg te zien. Al vond hij al snel dat de bomen erg op elkaar gingen lijken. Hij begon andere voertuigen op de weg te missen waarmee hij in gedachten kon meerijden. Tot hij in een flits tussen de boomstronken door een blauwe politiebusje zag die slippend een bocht doorging.

'Hé Bonobo, zie je je familie al?'

Heino had deze grap al eerder gemaakt en blijkbaar met zoveel succes dat hij hem nog een keer probeerde. Nu werd er nauwelijks gelachen. Dat kwam vooral omdat Jay een hand had opgestoken. Het was een opgestoken hand die wilde zeggen: wees stil, er gebeurt iets belangrijks! Nu had Jay normaal niet de positie om enig effect te hebben met zo'n opgestoken hand. Maar of het nu door de dommelfase kwam of door de urgentie waarmee Jay het gebaar maakte, hij kreeg iedereen stil en elke blik was vervolgens op hem gericht.

'Er is iets gebeurd.'

Een seconde of vijf bleef het stil. Toen maakte Heino nog een opmerking. Iets met in je broek poepen. Enkele klasgenoten begonnen te lachen, maar hielden daar gelijk weer mee op omdat er een vreemd, hoog, doordringend geluid klonk, een beetje alsof een vioolorkest onder water aan het spelen was. Vlak daarna trapte de buschauffeur voluit op de rem.

Er vloeide bloed. Er werd hysterisch gevloekt en bijna iedereen schreeuwde. Maar eigenlijk was er niet zoveel aan de hand. De arrestantenwagen had het bagageluik van de bus geschampt en de bus was met twee wielen van de weg geraakt en nogal abrupt tot stilstand gekomen. Het bloed was van een scholier die door de plotselinge stop op zijn tong had gebeten. Het was Heino. Zo'n jongen wie zoiets nooit overkomt. Jay kon zijn geluk niet op. Zoiets zou namelijk negen van de tien keer juist hem overkomen – zeker op een schoolreisje – maar blijkbaar was dit de tiende keer. Heino's witte G-Starvest deed nu denken aan een uit de hand gelopen tandartsbezoek of van die journaalbeelden van een markt in Bagdad nadat er weer een bom was afgegaan. Medelijden voelde Jay totaal niet. Hij hoopte dat die tong er heel lang over zou doen om te genezen.

Buiten de bus wisselden de buschauffeur en Ger Brasem verwensingen en uiteindelijk ook gegevens voor de verzekeringen uit.

De chauffeur was er niet gerust op. 'En toch zou ik liever wachten op de...'

'Nogmaals... we hebben een staatsgevaarlijke arrestant. Wij wachten niet. Onze mensen zijn onderweg.' Ger liep naar zijn voertuig.

'Nou, oké dan, maar laat in godsnaam die sirene maken.'

Ger opende de portier en keek om. 'Die wat?'

'Je sirene. Ik hoorde hem pas laat. Klonk meer alsof er een kat onder water werd gehouden. Dat was niet normaal.'

Ger stapte zonder iets te zeggen in.

Terwijl Ger wegreed van de bocht waar nu scholieren op de hei rond de bus stonden keek hij Joop nog eens aan. Maar die zat naar achteren te kijken, naar het kijkluik. Dit type arrestantenwagen had niet eens een sirene.

2

Alleen het Gelderse dagblad *de Stentor* maakte melding van een incident dat bijna het koninklijk bezoek aan het Veluwepark had verstoord. Het ongelukje met de bus werd nergens genoemd. Heino's tong was na twee dagen in alle opzichten weer de oude, het bebloede vest was vervangen en het busbedrijf kreeg alle schade vergoed. Daarom dachten na vier weken nog heel weinig mensen terug aan die dag op de Veluwse hei.

Die paar mensen die dat wel deden, zaten in dezelfde beveiligde kamer van het ministerie van Binnenlandse Zaken. Het was de kamer van Harold Klein. Klein was een gedrongen, imposante man naar wie je luisterde als hij sprak. Hij was de man die bepaalde wat de minister te weten kwam over lopende zaken op het gebied van veiligheid. Want de minister kon niet alles weten, wilde niet alles weten en mocht niet alles weten. In sommige opzichten had Klein daardoor meer te vertellen over de AIVD, de DKDB en dienst Speciale Operaties dan wie dan ook. Zeker meer dan de hoofden van die verschillende afdelingen. Waarvan er nu een in zijn kamer een verhaal stond te vertellen. Klein had in zijn dienstjaren al heel wat zin en onzin gehoord, maar nu brak zijn klomp.

'Wacht even, nog even terug… zijn oorsprong is niet vast te stellen. Je bedoelt zijn nationaliteit?'

Jean Maas, hoofd van de dienst Speciale Operaties kuchte voordat hij verderging. Nu was hij zelf iemand die een kuch in een vraaggesprek heel verdacht vond, maar hij kon het niet laten. Dit was een moeilijk verhaal. 'Nee, het gaat verder dan dat. We hebben Max Bretter erbij gehaald, een DNA-expert uit Leiden, een soort evolutieprofessor die ook alles van taal af weet. Goede combinatie hiervoor, zou je denken. Maar zijn voorlopige conclusie is: of het is een unieke biologische afwijking of het komt... van buiten de dampkring.'

'Jean, heb je ineens gevoel voor humor ontwikkeld?'

'Geloof me, ik zit hiermee in mijn maag. DKDB heeft hem bij ons gedropt. Niemand kan ermee communiceren, ik heb een expert erbij gehaald en we weten eigenlijk steeds minder. Het praat, maar geen taal die we kennen. Was het maar humor.'

Maas rechtte zijn rug. Hij was een lange man en was zich ervan bewust dat hij zijn één meter vijfennegentig sterk moest tonen, omdat Klein elke zwakte verafschuwde. De mannen kenden elkaar nog van de universiteit, ze waren lid geweest van dezelfde studentenvereniging. Klein was ook degene geweest die Maas meer dan twintig jaar geleden had gevraagd om bij de AIVD te komen. Ze kenden elkaar door en door. Daardoor wist Maas dat hij alles uiterst krachtig en gefundeerd moest brengen. Er was geen ruimte voor zwakte hier. Zeker niet met zo'n raar verhaal als dit.

'Hoeveel mensen weten hiervan?'

'Die professor Bretter dus, een arts en de twee DKDB-jongens die hem opgepakt hebben, Ger Brasem en Joop van Zanden. Die heb ik naar mij laten overplaatsen. Verder een geluidstechnicus bij ons en we hebben wat geluidsfragmenten naar taaldeskundigen in diverse landen laten sturen.'

'Wat?'

'Met een verhaal over oude teruggevonden geluidsopnamen. Via die professor. Maar geen resultaat. Nul komma nul. Niemand kan er een touw aan vastknopen.'

'Jean, leuk dat je je hiermee vermaakt, maar wat wil je eigenlijk van me?'

'We moeten een beslissing nemen, Harold. Max wil een oproep aan het grote publiek doen om te zien of iemand het geluid herkent. *Open source* noemt hij het. De wijsheid van de massa.'

'Experts horen meer te weten dan de massa.'

'Hij noemt die gedachte ouderwets. In ieder geval is het of dit of we laten het verdwijnen.'

'Klinkt ook ouderwets, Jean.'

'Nee, niet op die manier. Als we niets doen sterft het vanzelf. Het eet namelijk niet. De arts denkt dat het nog twee of drie weken heeft.'

'Hongerstaking?'

Maas haalde zijn schouders op. 'Het is echt niet te zeggen. Maar we moeten wel een beslissing nemen. Publiek gaan, of laten afsterven.'

'En daar val je mij mee lastig.' Klein ging rechtop zitten in zijn stoel. 'Oké, laat maar zien.'

Maas kon een glimlach niet onderdrukken. Harold Klein kende hem goed genoeg om te weten dat hij beeldmateriaal bij zich zou hebben. Hij haalde een iPad uit zijn aktetas en zette deze op het bureau. Op het scherm verscheen een witte figuur op een stoel in een verder lege kamer. Eerst leek de figuur een dwerg in een wit pak. De camera kwam dichterbij en het begon meer op een witgeschminkte clown te lijken waarvan de verf was doorgelopen. Het had een romp, een hoofd en ledematen zoals een mens, alleen klopten de proporties niet helemaal.

Langzaam kwam het gezicht in beeld. De camera had moeite het scherp in beeld te krijgen omdat het uit een doorzichtige gelei leek te bestaan die continu in beweging was.

'Kom op zeg, is dit een videoclip of een slechte sf-film?'

'Wacht maar tot je hem hoort...'

Het wezen opende de mond en even gebeurde er niets, maar langzaam kwam er uit de luidspreker een zoem, alsof ergens honderd kinderen met hun vingers rondjes draaiden op een wijnglas. En er dan onder water ook nog een liedje bij zongen... achteruit. Het was fascinerend, hypnotiserend en tegelijkertijd vroeg je je af of je het wel echt hoorde.

'Godallemachtig, wat is dit?'

'Precies, en belangrijker nog: wat moeten we ermee?'

Jay verfde zijn haar. Dat deed hij altijd met de badkamerdeur op slot. Hij kon sowieso moeiteloos uren in de badkamer doorbrengen met de deur op slot. Met het wegwerken of creëren van onregelmatigheden aan zijn uiterlijk. Zijn haar en gezicht kregen de meeste aandacht. Jay verfde elke vier weken zijn haar opnieuw. Alleen het zwartste zwart vond hij goed genoeg. Zijn huidige merk haarspoeling had hij per toeval ontdekt. Het was tijdens een vakantie in Spanje waar ze onverwacht langer bleven en Jay zonder haarspoeling kwam te zitten. Na enkele zeer onbehulpzame Spaanse drogisten gesproken te hebben had hij uiteindelijk bij een kapperszaak succes. Wat heet! Het meisje dat daar werkte, Maya, had hem een pakje Negrito-haarspoeling verkocht en hem verzocht het effect de volgende dag te komen tonen. Uiteindelijk leidde dat tijdens een rookpauze in de steeg achter de winkel tot zoenen. Het was de eerste en enige keer dat Jay gezoend had. In de zon, met inktzwart haar dat voor zijn ogen hing en een sigaret die tussen zijn vingers opbrandde omdat zij meer wilde, steeds meer. Más, riep ze dan, más. Het was jammer dat ze zo lelijk was geweest.

Jay oefende dat zoenen nog weleens met de spiegel. Zijn haar voor zijn ogen, vooroverbuigen... zo was het gegaan. Haar lippen hapten naar hem, haar hand kwam achter zijn hoofd en drukte hem nog harder naar binnen, nog harder tegen haar aan. Ze wist dat ze moest pakken wat ze pakken kon.

Het geluid van een sleutel in het slot van de voordeur deed hem grimassen. Hij controleerde of zijn deur op slot was.

'Hallo,' klonk een vrouwenstem. 'Ben je daar, schat?'

Jay bracht zijn gezicht dicht bij de spiegel en deed zijn moeder geluidloos na. Op steeds langzamere snelheden zoals bij de dvd. ½x, ¼x... Hij kwam zover als $^{1}/_{16}$x... Beeeeeeennnnnnn jjjjjjjjeeeeeeeee dddddddaaaaaaaaaaaaaarrrrrrrrrrr, sssssssssssssccccccccchhh...

'Hallo Jay?' De deurklink van de badkamer ging omlaag.

'Hai mam.' Jay opende het badkamerkastje en pakte een ouderwets scheermesje en wat watten.

'Waarom zeg je niks?'

'Ik verf mijn haar.' Hij begon de rechtermouw van zijn shirt op te rollen.

'O, hoe is het?'

'Goed.' Op zijn bovenarm zaten dunne littekens die – met een beetje fantasie – letters vormden. Net onder zijn schouder een krakkemikkige N, dan twee vierkante O's, een enkele verticale streep en dan net boven de elleboog een T. Jay liet zijn vingers over de wondjes glijden alsof hij braille las.

'Heb je al gegeten?'

'Nee.' De dwarsbalk van de T mocht wel wat duidelijker. Hij begon het papiertje van het scheermesje af te halen.

'Dan bel ik voor wat sushi, wil je iets bijzonders?'

'Extra wasabi.'

'En ik heb wat voor je meegenomen uit Antwerpen. Vind je vast leuk.'

'Mmm-hh.' Jay keek in de spiegel hoe het bloed vanuit de streep richting het puntje van zijn elleboog vloeide. Langzaam, stroperig, maar zeker, zo zeker, over waar het heen wilde.

'Trek hem nou aan.'

'Ik draag geen korte mouwen. Dat weet je.'

'Mijn god, het is ook elke keer wat. Dit is met de hand gemaakt. Geen merk.'

'Mag ik de wasabi?' Jay was niet echt gek op sushi. Die bolletjes rijst met zeewier en een heel klein stukje vis of komkommer smaakten eigenlijk naar niets. Alsof het allemaal met de grote saaiheidskwast was geglazuurd, zoals zoveel in het bestaan. Alleen wasabi... de groene sambal uit Japan, daar was hij gek op. De truc was om twee of drie stukken sushi van achteren bomvol wasabi te doen en ze dan weer tussen de anderen te leggen. Zodat je elke keer dat je een stuk in je mond stopte je schrap moest zetten of de detonatie zou komen, de langzame ontbranding die via je gehemelte en je neus zo van binnen uit je hersenpan de ruimte in schoot. Dan hoefde je je niet af te vragen of je leefde.

'Zet het journaal aan, wil je?'

Jay probeerde met zijn teen de afstandsbediening die onder de salontafel lag te bedienen. Zijn moeder sloeg geen journaal, geen krant, geen opinietijdschrift over. Ze was actief in de gemeentepolitiek en rond verkiezingstijd werd het allemaal nog erger. Meestal aten ze voor de tv, want dat zou dan goed zijn voor Jays ontwikkeling. Ook hij zou weten van de hyperinflatie in Zimbabwe, de ingestorte balkons in Limburg en de staatssecretaris die zonder het te weten gelogen had. Dat Jay al die tijd Russische roulette speelde met zijn stukken sushi ontging haar. Ze moest opletten want de wereld was belangrijk, al het onrecht was belangrijk en wat je eraan kon doen was belangrijk. De eerste wasabibom sloeg in bij het nieuws over de Russische president. Eigenlijk wel toepasselijk. Aan de toon die de president aansloeg bij zijn reactie op een aardbeving in Kazachstan meende de nieuwslezer op te moeten maken dat ook de Oost-Westverhoudingen aan het verschuiven waren.

Ondertussen was iemand van binnenuit met een drilboor gaten in Jays voorhoofd aan het boren. Wat hij het wonderlijke aan wasabi vond, was dat het elke keer anders was. Soms knalde het achter je wenkbrauwen en soms verzamelde alle stoom zich onder je kruin.

Tranen stroomden over zijn wangen, dat gebeurde wel elke keer.

Daardoor miste hij bijna het volgende item. Wetenschappers konden maar niet achterhalen welke taal een in de Veluwse bossen aangetroffen buitenlander sprak. Daarom werd de hulp van het grote publiek gevraagd. Een klein fragment zou volgen en via www.nos.nl konden reacties gegeven worden. Vervolgens vroeg een hoog, ijl stemmetje om een potlood en dat was het dan. Jay proestte door zijn tranen heen. Dit was een slechte grap en juist daarom een leuke.

Zijn moeder lachte ook. 'Wat een geluid.'

'Ja, en een potlood!'

Zijn moeder keek hem aan. 'Welk potlood?'

'Nou, hij zei toch: mag ik een potlood? Best leuk.'

'Ach jij, die wasabi heeft je hersens aangetast.'

'Wat nou?'

'Stil, dit gaat over Amsterdam.'

Stil. Als er een woord was dat als wasabi op hem werkte... Jay bekeek de resterende stukken sushi even vanonder en schoof er een op het bord van zijn moeder. Zij ging zo op in de woorden van de burgemeester dat ze het niet merkte. Dat zou pas later komen.

***

'Twee komma één miljoen mensen zagen een van de journaaluitzendingen die avond. Vervolgens werd er vierhonderdduizend keer op de website naar het fragment geluisterd en uiteindelijk hebben veertienduizend tweehonderdentwaalf mensen via het formulier een vertaling ingestuurd.' Maas wees de getallen in het rapport aan.

'Zoveel?' Even was Harold Klein onder de indruk.

'Daarvan vallen er zo'n elfduizend af omdat ze een niet-verifieerbare naam gebruikt hebben. ET, bleepbleep en marsmannetje kwamen het vaakst voor. Wat overbleef hebben we gesorteerd naar strekking.

De categorie: "breng me bij uw leider" is in allerlei varianten hier het meest voorkomend met 23 procent, dan de losgeldvarianten, 14 procent; leuzen waar een bedrijfsnaam in voorkomt, 11 procent; leuzen met namen van voetbalclubs 8 procent; seksueel getinte grappen ook 8 procent en dan een grote restcategorie met dingen als: "wil je mijn veter vastmaken", "trek eens aan mijn vinger" of "mag ik een potlood".'

'Een potlood?'

'Ja, die komt zelfs elf keer in precies dezelfde bewoordingen voor.'

'Elf mensen hebben "mag ik een potlood" ingevuld?'

'Ja, en als we hun profiel mogen geloven zijn ze allemaal veertien of vijftien jaar.'

'Mijn hemel, moeten wij ons bezighouden met de grappen van een of andere schoolklas?'

'Nee dat niet, ze zijn verspreid door het hele land. Maar toch is een gezamenlijke grap het meest aannemelijk. In ieder geval zijn die ook door naar de tweede ronde.'

Klein klapte het rapport dicht.

'Complete tijdverspilling als je het mij vraagt. Rond het af en als er niets uitkomt, wil ik het niet eens meer horen. Open source mijn reet... Open wond zul je bedoelen.'

Voor de tweede ronde werd je uitgenodigd via een e-mail. Met de codes die daarin stonden kon je op een beveiligde website inloggen. Daar kreeg je dan nog een fragment te horen van het mysterieuze wezen.

Jay kreeg de mail op een vrijdag en op maandag had hij nog steeds niet ingelogd. De opwelling waarmee hij in eerste instantie gereageerd had was gevoed door woede en wasabi en het effect van beide was allang uitgewerkt. Nu overheerste zijn verlangen om nergens bij te horen. Bij geen sportvereniging, vriendenclub, marketingdoelgroep of generatie. Met een mail en een inlogcode, ook al wist hij niet waarvan of waarvoor, begon het al te veel als een lidmaatschap van iets aan te voelen.

Jay zat op zijn kamer en maakte zijn wiskundehuiswerk. Marvin Gayes stem begeleidde hem als een vlieger die steeds hoger wilde komen.

Alleen elke keer dat hij met zijn geodriehoek in de weer moest en dus ook zijn potlood met het roze gummetje oppakte, hoorde hij die andere hoge stem. Alsof het in duet wilde met Marvin Gaye. 'Mag ik een... Mag ik een... Mag ik een... pot-looôood.'

Jay grinnikte. Hij kon zich in ieder geval nog vermaken met de essentiële inhoudsloosheid van deze zin. Hij schreef essentiële inhoudsloosheid op als het antwoord op vraag 6a: teken figuur ABCD en benoem de hoeken. Hij liet wiskunde voor wat het ook zonder hem zou zijn, startte zijn laptop op en zette zijn synthesizer aan. Jay haalde de Marvin Gaye-cd *What's Going On* uit zijn stereo en liet deze in zijn computer glijden. Uit de lade van zijn bureau haalde hij een zwarte microfoon en verbond deze met zijn computer. Hij selecteerde een stukje van de titelsong van Marvin Gaye als sample en sleepte het naar de tijdsbalk van zijn synthesizersoftware. Toen in een *loop* zachtjes achter elkaar *What's going on? What's going on?* te horen was zette hij er met zijn drumcomputer een beat onder. Hij pakte de microfoon en zei daarin met diepe stem: 'De lood-en-gumremix voor Marvin die leefde met de gum en stierf door het lood.' Toen begon hij te zingen.

Geen pot met goud,
Maar lood onder jouw rainbow
Blijf het trouw,
In de dood onder jouw rainbow
Alleen voor jou onder de rainbow
Alleen voor jou
Mag ik een... mag ik een... mag ik een... pot-looôood

Alleen lood onder de rainbow
Alleen lood onder de rainbow
Alleen lood
Een pot lood onder de rainbow
Een pot lood onder de rainbow
een pot lood
levend in de
levend in de
goot
onder de rainbow
Mag ik een... mag ik een... mag ik een... pot-looôood

Hij moest het drie keer inzingen voor hij tevreden was over de toon en het ritme. Daarna zocht hij in de drumcomputer naar andere beats om uit te proberen. Die eerste die hij gebruikt had was redelijk, maar hij wist dat het nog beter kon, dat er een beat was waar de woorden naadloos in konden glijden. Jay ging op internet op zoek naar beats die hij kon downloaden. En jawel, de derde die hij beluisterde klonk meteen goed, een beat met de naam *Jazmin morning.* Die was fantastisch. Hij moest wel die naam veranderen, want de sukkel die *Jazmin morning* verzonnen had voor zo'n botstrelend ritme moest eigenlijk tegen de muur. Jay dubbelklikte op de naam van het bestand en bleef vervolgens hangen met zijn vingers boven het toetsenbord. Hij had altijd wel woorden maar kon nu ineens niets verzinnen. Hoe langer hij wachtte hoe meer hem het gevoel bekroop dat *Jazmin morning* de juiste naam was. Maar diep in hem, dieper dan zijn maag, begon daar iets tegen te vechten. Het dwong zijn vingers om te bewegen. *Wat gebeurt er?* Dat moest de titel zijn. Nu opnieuw opnemen.

Het was al donker buiten toen Jay ermee ophield. Hij kreeg het niet helemaal goed. Steeds paste er iets niet precies en met rondschuiven kon je het niet oplossen. Pas toen hij op de klok van zijn laptop keek besefte hij hoeveel honger hij had. De AH-stoommaaltijd die zijn moeder voor hem in de koelkast had gezet kon daar gelukkig binnen zeven minuten wat aan doen. Voor sommige dingen waren er oplossingen.

***

Het was vijf voor middernacht toen Harold Kleins telefoon ging. Hij had veel aparte ringtones. Een voor zijn persoonlijke assistent, een voor zijn speciale operatieteam en voor een jongedame van achtentwintig die af en toe in het land was. Dit was zijn *conference call*-ringtone, een beveiligd systeem zodat meer mensen tegelijk kunnen bellen.

'Ja?'

Een computerstem vertelde hem dat Max Bretter op hem wachtte. Daarna hoorde hij een klik.

'Meneer Klein, hallo, met Max Bretter.'

'Hallo professor. Waar is Maas?'

'Die zal zo wel komen, maar dan kan ik u alvast vertellen over...'

De computerstem kwam erdoorheen. 'Jean Maas voegt zich bij uw gesprek.'

'Hallo.'

'Dag Maas. We zijn alle drie hier, dus brand los.' Klein kwam graag ter zake.

'Oké, de tweede ronde van vertalingen van onze mysterieuze gast zijn binnen. Tien van de elf die "Mag ik een potlood" hadden, hebben opnieuw gereageerd en hebben weer allemaal hetzelfde.'

'Dus een grap.'

'Je zou het wel denken. We hebben echter niveau 1-onderzoek op ze los gelaten. Opvallend is dat ze allemaal in die week bezoeker waren bij het Kröller-Müller, maar ze komen uit het hele land en het is niet aan te tonen dat ze elkaar kennen.'

'Hebben ze elkaar daar getroffen?'

'Nee, ze waren er niet gelijktijdig. Ze hebben elkaar daar niet ontmoet.'

Harold draaide rond in zijn appartement dat op de zestiende verdieping van een luxe toren in Rotterdam was gelegen. Er stond weinig in en wat er stond was peperduur. Hij stond geen onzin toe. Zo leefde hij en zo werkte hij. En dit alles ging daar recht tegenin.

'Dat bewijst niet dat het geen grap is.'

'Precies. Als ik even mag...' Het was de professor. 'U zegt het precies goed. Het bewijst niets. Dat ze steeds hetzelfde erin horen is ook geen sluitend bewijs. Proberen te bewijzen dat het geen grap is duurt te lang. We kunnen beter bewijzen dat het wel een grap is.'

'Ik volg u niet.' Klein klonk ongeduldig.

'In de wetenschap noemen we het falsificeren. In plaats van bewijzen dat iets waar is, dat de kinderen echt iets horen, probeer je te bewijzen dat iets niet waar is. Want dan kun je in één keer klaar zijn.'

'Hoe dan?'

'Laat de kinderen een nepgeluid vertalen en als ze er toch wat in horen...'

'Maas, wat vind jij?'

'Ja, we kunnen iets laten maken en het ze weer e-mailen. Zo moeilijk is dat niet.'

'En waarom tien van de elf? Wat is er met die ene dan?'

'Het niveau 1-onderzoek brengt dat niet boven.'

Harold keek uit het raam naar de lichten van de stad die zijn nachtpanorama vormden. Af en toe was er een rij te ontdekken van lampen in dezelfde straat, maar het was overwegend chaos.

'Heren, ik ben klaar met dat online gedoe. We halen een van hen binnen en kunnen dan de grap falsificeren zoals de professor dat noemt. Op de ouderwetse manier. Face to face.'

'Meneer Klein, dat is dan niet statistisch relevant. Is het niet beter het onderzoek breed te houden?'

'Professor, uw punt is gehoord. Dit blijft mensenwerk. Maas, kies er een uit en ga naar niveau 2. Als je zo'n tiener niet aan het praten krijgt, is het echt mis. En begin anders met die afhaker. Die is misschien al doorgeslagen.'

'Meneer Klein...'

'Professor, de beslissing is al genomen.'

'Dat begrijp ik, maar wilt u niet weten wat de tweede vertaling was?'

Klein zuchtte onhoorbaar. 'Nou, vertel.'

'Alle tien hebben ze dezelfde drie woorden ingevuld: *Wat gebeurt er?*'

Om halftwaalf kwam Jays moeder thuis van haar bestuursvergadering of raadsvergadering of commissievergadering of wat het dan ook was. Ze had in ieder geval haar parelketting om, stonk naar rode wijn en had de voor dit tijdstip gebruikelijke ouderlijke schuldgevoelens die ervoor zorgden dat ze nu zijn kamer in kwam om een praatje te maken.

Jay reikte naar de enorme volumeknop aan zijn installatie. Wat hield hij van dat zweverige en toch gewichtige gevoel waarmee dat ding draaide. Vaak stelde hij zich voor dat je met deze knop, afhankelijk van de instellingen, de zon kon laten opkomen, schoolgebouwen kleiner kon maken en in ieder geval schuldgevoelens van ouders groter. Hij had de laatste variant van de remix naar de versterker gezet en Marvin vroeg zich steeds luider af wat er allemaal aan de hand was.

'Niet zo hard. Dan kan ik jou niet horen.'

'Dit ben ik. Ik heb dit gemaakt.'

Met het geduld van een ouder die een tekening van haar kind bekijkt luisterde ze.

'Mooi. Ik weet alleen niet...'

'Wat?' zei hij fel.

'Ik weet niet waarom het zo somber moet. Er is toch juist een pot goud onder de...'

'Jij begrijpt het niet. Ik ga slapen.'

Jay stond op en liep bruusk langs zijn moeder zijn kamer uit de badkamer in.

'Niet te lang, Jay, ik moet ook zo.'

3

Ger Brasem gooide met een geoefend gebaar een tic tac in zijn mond.

'Dat je zo vroeg kan snoepen.' Joop van Zanden stond ineengedoken tegen de muur en zijn gezicht, dat toch al wat weg had van een gehavende aardappel, stond grimmig en leek daardoor nog meer op iets dat eigenlijk onder de grond thuishoorde.

'Zijn we het zonnetje in huis, Jopie?'

'Wat wil je, niveau 2 op een scholier. En dat joch slaat gewoon zijn eerste uur over.'

'Ja, hij heeft blijkbaar geen zin in biologie.'

'Kloppen jouw gegevens wel?'

Ger haalde zijn schouders op. 'Staat in de schoolcomputer. Daarom weet ik ook dat dat meneertje nou net niet biologie had moeten missen met een gemiddelde van 4,7.'

'Ik wil in een auto zitten. Niveau 2 op de fiets, wie verzint dat nou?'

'Wacht, de deur gaat open. Het is hem. Oor in. Blijf vijftig meter achter me.'

Jay liep met de oortjes van zijn mp3-speler in naar zijn fiets, maakte zijn slot los en reed zonder op of om te kijken weg.

Er viel hem sowieso niets op. Als je een route te vaak fietst moet je die meters en die minuten voorbij kunnen laten gaan zonder dat je ze bewust meemaakt. Een beschermingsconstructie van het hoofd, een snoozestand, zodat je je niet te pletter verveelt. Jay hield meestal zijn snoozeknop ook de rest van de dag ingedrukt.

Maar vandaag werd net na de stoplichten van de Hobbemakade zijn snoozeknop abrupt uitgezet. De man die vlak voor hem fietste stopte zo plotseling dat Jay, ondanks het inknijpen van zijn handremmen, erbovenop knalde. Snoozeprogramma uit, scheldprogramma aan.

'Hé idioot, wat doe je?'

Ger keek met een grijns om. 'Volgens mij kan ik precies hetzelfde tegen jou zeggen. Ik riep toch dat ik ging stoppen.'

'Wat? Dat slaat nergens op, ik...'

Joop stopte schuin achter Jay. 'Alles goed, heren?'

Ger keek even om hem heen en knikte. 'Jay de Bono toch?'

Jay wist even niet hoe hij het had. Een wildvreemde fietser knalt tegen hem aan en kent vervolgens zijn naam. De snoozestand kon niet harder uitstaan. Hij maakte ineens elk deel van elke seconde volledig mee, met een mond die zonder dat hij het zelf wist was opengevallen.

'Hoe weet... Wat is dit? Wie zijn jullie?'

'Niet schrikken. Wij willen je alleen een paar vragen stellen. En bieden je daar zelfs een kop thee bij aan, of drink je al koffie?'

'Ik... dat kan niet. Ik moet naar school.'

Ger knikte. 'Weten we. Tweede uur wiskunde. Komt goed. Thee of koffie?' Hij knikte naar het café dat net te zien was op het Museumplein.

'Waar gaat dit over? Wat heb ik gedaan?'

'Daar gaan we het over hebben,' verzekerde Ger op een toon die helemaal niet geruststellend was.

Elke dag dat Jay naar school ging, reed hij vlak langs het ultramoderne bouwsel van glas en aluminium dat café Metropool heette. Het moet hem ooit weleens opgevallen zijn, maar nu keek hij ernaar alsof het zojuist voor zijn ogen was verschenen.

De twee heren lieten hem als eerste naar binnen gaan en liepen vervolgens naar het verste tafeltje van de bar.

'Zo Jay.'

Jay was van de eerste schrik bekomen. 'Waar gaat dit over en wie zijn jullie?'

'Wacht even.'

De thee en twee koffie werden gebracht. De serveerster zette het neer en verdween zonder een woord te zeggen. Jay keek haar na. Deed ze nu mee aan dit spelletje of was ze gewoon van nature onbeleefd?

'Dus?'

'Wij zijn van de instantie die het geluidsfragmentonderzoek doet waar jij aan hebt deelgenomen.'

'Het wat?'

'Mag ik een potlood, zegt dat je wat?'

'O.' Jay verschoof op zijn stoel. Dit had niets met spijbelen te maken, dat scheelde in ieder geval. 'Wat was dat eigenlijk, een prijsvraag? Heb ik iets gewonnen?'

Ger keek even naar Joop. Als deze knul toneelspeelde dan deed-ie dat verdraaid goed.

'Je hebt ons bezoekje gewonnen,' zei Ger en hij nam een slok koffie. 'We hebben een paar vragen.'

'Waar ken je Myrthe Huizinga van?' vroeg Joop.

Jay keek verbaasd opzij. 'Die ken ik helemaal niet.'

'En Marc Zevenaar?'

'Ken ik ook niet.'

'Tobias van Straten.'

Jay schudde zijn hoofd.

'Rachel Kolan, ze woont ook in Amsterdam.'

'Er woont ook verder niemand in Amsterdam.'

'Gaan we goochem doen?' vroeg Ger.

Jay haalde zijn schouders op. Zij deden toch juist goochem. Wat dat ook betekende.

Joop las nog zes namen voor uit een blauw notitieboekje. Jay schudde zijn hoofd al niet eens meer. Dit ging niet over hem.

'Waarom heb je je tweede vertaling niet ingestuurd?'

'Welke vertaling? Ik heb het tweede fragment niet eens gehoord.'

Ger grijnsde. Nu hadden ze hem. Nu wisten ze dat hij loog en dat zou hem opbreken en uiteindelijk openbreken.

'Jay, even tussen ons. Jij en die tien andere namen,' hier knikte hij even naar het notitieboekje van Joop, 'hebben precies dezelfde vertaling van het eerste fragment en ook van het tweede. Alleen jij hebt je vertaling niet ingestuurd. Waarom? Had je ruzie? Was je het er niet mee eens? Was het dit keer niet jouw idee?'

'Ik heb toch gezegd dat ik geen tweede fragment gehoord heb. Dus ik heb er niets mee te maken. Laat me met rust.'

'Misschien was je het gewoon niet eens over de tweede vertaling. Had je het willen zingen dit keer, in een liedje verwerken, of in het Engels, was dat het?'

'Ik ga. Dit hoef ik niet aan te horen.' Jay stond op. Joop legde met verassende snelheid voor iemand van zijn formaat een hand op Jays onderarm.

'Wacht Jay. Ik laat je horen *what is going on.*' Ger haalde een telefoon uit zijn binnenzak en drukte op het scherm. Wat hieruit klonk bracht Jay pas echt aan het schrikken.

Alleen lood onder de rainbow
Alleen lood
Een pot lood onder de rainbow
Een pot lood
Mag ik een... Mag ik een... Mag ik een
What's going on, what's going on?

Hoe de fuck kwamen zij aan... Waarom hadden ze... Waar haalden ze het gore lef vandaan om...

De schok veranderde in ergernis en toen in woede. Waarom flikkerden zij niet een heel eind op? Wanneer leerden andere mensen nou dat ze zich niet met hem moesten bemoeien? Nu niet en nooit niet. Zijn woede borrelde over. Al had Jay het zelf pas laat door. Hij keek met milde verbazing naar zijn eigen hand die de kop thee oppakte en vervolgens de inhoud in het gezicht van Joop gooide. Ze kwamen alle drie overeind, alleen duwde Jay meteen uit alle macht tegen de rand van de tafel waardoor Ger achteroverviel. Jay zette het op een lopen.

Jay vloog de deur uit. Eén blik op zijn fiets maakte duidelijk dat hij het daar niet mee ging redden. Hij had zijn kettingslot gebruikt en eer hij dat ding los had waren die twee al zeker weer bij hem. Jay rende om het gebouw heen, het Museumplein op. Hij moest weg. Ver weg! Of ergens heen waar veel mensen waren.

Het Rijksmuseum... of wacht, aan de andere kant van het Museumplein was de Amerikaanse ambassade met een vaste politiepost. Daar zou hij veilig zijn.

Hij slaagde erin zeker vijftig meter te sprinten zonder achterom te kijken. Toen hield hij het niet meer. Hij keek. Te snel en te paniekerig want hij zag niemand maar geloofde dat vervolgens niet. Hij had vast niet goed gekeken. Hij keek nog eens en nog eens. Zo knalde hij tegen een wandelaar aan.

'Blijf van me af!' brulde Jay en hij rende door tot aan een dikke boom waarachter hij even naar adem hapte. Hoe was het mogelijk dat ze niet achter hem aan kwamen? Hij keek nog eens goed. Er kwam echt niemand. Die twee in hun halflange donkergrijze jassen waren niet te zien. Zou hij die ene blind gemaakt hebben? Zijn fiets kon hij nu wel vergeten.

Ach wat, zijn moeder zou mopperen als hij vertelde dat hij weer gejat was, maar ze zou meteen een nieuwe kopen. Hij moest tenslotte naar school.

Jay was alweer wat op adem gekomen en besloot door te lopen naar de politiepost. Hij liep gestaag tussen de bomen door in de richting van de Amerikaanse ambassade. Elke tien meter omkijkend... elke twintig meter... Waar bleven ze?

De bomen die tussen hem en het café stonden boden niet alleen bescherming, ze ontnamen hem ook het zicht. Maar nu waren er voor hem geen bomen meer. Alleen een open grasveld van tweehonderd meter en dan stond daar de extra politiepost. Een witte keet op een verhoging om beter uitzicht te hebben. Ze zouden hem dus makkelijk kunnen zien. Dus als die twee hem toch nog grepen zou hij gillen en vechten, zodat die agenten in de politiepost zouden moeten ingrijpen.

Jay liep het grasveld op en jogde richting de keet. Hij keek nog rond of ze niet op het laatste moment... en ja hoor. Jay kreeg een schok toen hij de dunnere herkende die langs de huizen zijn kant op fietste. Het voelde bijna als een schok van vreugde. De vreugde dat je wist waar de vijand zat, dat is altijd beter dan het onbekende. Maar op een rare manier was het ook de blijdschap van het achternagezeten worden. Als klein kind was hij in hun oude huis kraaiend van plezier de gang doorgerend voor de graaiende armen van zijn vader uit. En het was nooit genoeg geweest. Zelfs als zijn vader ermee stopte rende hij nog gemaakt bang die gang door in de hoop hem weer in de achtervolging te lokken. En ook al was het een slap aftreksel van daadwerkelijk achternagezeten worden, kleine Jay kon niet stoppen tot hij uitgeput door zijn moeder in bed gestopt werd. Te moe om te huilen.

'Jay!' riep Ger vanaf zijn fiets.

Jay maakte ferme passen door het gras. De afstand was een lachertje, hij kon zelfs een beetje inhouden om iedereen duidelijk te maken dat hier iemand liep die wist wat hij deed. Hij was meters van de trap die naar de verhoogde politiekeet leidde en kon zich een triomfantelijke glimlach over zijn schouder permitteren. De man op de fiets toonde niet genoeg verslagenheid omdat hij zijn prooi misliep, vond Jay. Maar goed, je kon niet alles hebben.

De deur van de politiekeet sloeg met een harde klap achter hem dicht. Het aardappelgezicht van Joop van Zanden, nog verder ontsierd door een rode vlek, keek Jay kalm aan vanaf een van de plastic stoeltjes van de minuscule wachtruimte.

Er was geen spoor van triomf of wraakzucht in Joops blik. Het was of hij de formaliteiten van een ietwat onaangename klus zo snel mogelijk achter zich wilde hebben.

'Ga zitten,' zei hij, 'de auto komt zo.'

4

De auto was een Audi Q7 Deluxe. Alles in de auto straalde die luxe ook uit. Alleen al hoe de deur dichtsloeg, of dichtklakte eigenlijk. Het was namelijk niet eens klikklak, één mooie, diepe klak volstond. Ondanks zijn benarde positie bewonderde Jay dat. En ook het notenhout en het leer.

Hij begreep luxe eigenlijk wel. Het straalde een rust uit, een genieten, waardoor je je ook vanbinnen comfortabel voelde. Dat werkte zo sterk dat Jay, die zich geheel tegen zijn zin in deze auto bevond, zich bijna lekker ging voelen. Bijna. Dan had Ger net iets langer zijn mond moeten houden.

'Hij heeft gewoon hete thee in Joop zijn smoel gegooid.'

De man die reed droeg een bril met lichtoranje lenzen. Jay zag in de achteruitkijkspiegel net door die bril heen twee ogen op hem gericht. Hij zat op de achterbank tussen Joop en Ger ingeklemd. Naast de bestuurder zat niemand.

'Goed zo, jongeman. Je moet van je af kunnen bijten in deze wereld. Wat jij, Joop?'

'Het is niets, meneer.'

'Jay, excuses voor de manier waarop deze ontmoeting gegaan is. Het is ietwat ongebruikelijk, maar de situatie waarin we ons bevinden is dat ook. We hoopten eigenlijk dat jij ons meer zou kunnen vertellen over het geluidsfragment en waarom elf scholieren hetzelfde antwoord hebben gegeven.'

'Dat weet ik niet.'

'Waarom koos jij die woorden?'

'Welke woorden?'
'Jay...'
'Die hoorde ik gewoon. Dat is wat hij zei.'
'Een jongensstem volgens jou?'
'Ja, dat dacht ik wel.'
Ze stopten bij een stoplicht.
'En waarom geen tweede vertaling?' De ogen achter de zonnebril bleven hem aankijken.
'Ik... ik had geen zin meer. Ik doe niet mee aan clubjes. Ik wil nergens lid van zijn en nergens bij horen. Ik wil alleen maar met rust gelaten worden.'
De man bleef hem aankijken, ook al was het licht inmiddels groen. Achter hen werd getoeterd. Toch bleef de man kijken.
'Dat met rust laten, dat is niet zo goed gelukt, hè?'
Het toeteren werd heviger.
'Nee,' zei Jay.
'We willen dat je ons helpt, Jay.'
Er werd nu aan één stuk door getoeterd.
'Oké, oké,' zei Jay.
Ze reden verder.
'Jay, ik weet dat het tot nu anders lijkt, maar wij willen je helemaal geen kwaad doen. We hebben je verkeerd ingeschat. We dachten dat je bij een clubje zat dat een grap met ons uithaalde. En Jay, één ding wil ik wel héél duidelijk maken.' De man nam zijn bril af en hield via de achteruitkijkspiegel Jays ogen gevangen met de zijne. 'Wij houden helemaal niet van grapjes. Helemaal niet.'
'Ik ook niet,' wilde Jay zeggen, maar er kwamen geen woorden.
De man bleek heel lang rechtdoor te kunnen rijden met zijn ogen op de spiegel.
Hij deed zijn bril weer op en ze reden een tijdje in stilte verder.
Toen keek de man weer in de spiegel naar Jay. 'We hebben je hulp

dus nodig. Is er iemand die we moeten bellen om te vertellen dat je iets anders gaat doen vandaag?'

'Eh nee, school misschien.'

'Is al geregeld. Begrafenis van een oudtante,' zei Ger.

Jay keek opzij. Nadat ze via internet zijn remix hadden gestolen uit zijn laptop had niets hem meer moeten verbazen, maar goed, zo werkte het blijkbaar niet.

Jay probeerde te volgen waar ze heen reden. Hij wist niet zoveel van het snelwegennet van Nederland. Maar hij was ook geen dommerik en herkende echt het brugrestaurant over de A4 wel toen ze eronderdoor reden. Bovendien kon hij borden lezen. Ze reden dus richting Den Haag of Rotterdam. Even later gingen ze van de snelweg af en of ze het nou expres deden of niet, al snel kon Jay met geen mogelijkheid meer zeggen of ze weer terug naar Amsterdam reden of dat ze inmiddels in België waren beland. Ze maakten continu bochten en sloegen zo vaak af dat hij de buitenwereld maar liet voor wat het was.

Hij ging zich bezighouden met de vraag hoe asociaal hij het precies vond dat mensen op zijn laptop inbraken. En daarbij, hij had toch een firewall? Waarom had die niet gewerkt?

Uiteindelijk reden ze door een lang, grijs hek dat vanzelf weer achter hen sloot. Al zag Jay ook een man staan met een wapen voor zijn borst, dus misschien was het niet helemaal vanzelf.

Ze stopten bij een hoge bakstenen muur waar alleen een eenvoudige donkerbruine deur in zat. Net als de gymzaal op school. Ze stapten uit en Ger hield een kaartje tegen het zwarte deurframe naast de deur aan waarna de deur openging. Jay was niet onder de indruk. Het zag er allemaal uit als een gemeentehuis of gymzaal waarbij je je al verveelde voor je naar binnen ging. De man die gereden had stapte ook uit. Hij bleek ontzettend lang en gekleed in een ruitjesjasje en een zwarte coltrui. Hij leek wel een beetje op Sean Connery. Dat paste tenminste weer wel bij de auto.

Ze liepen zwijgend door witte gangen. Pas na een tijdje viel het Jay op dat er geen deuren waren, ze waren al twee, nee, drie keer een hoek om geslagen en nog steeds waren de muren compleet wit, geen deur te bekennen. Om de zoveel meter hing er een lamp aan het plafond, anders had je niet eens kunnen zien dat je vooruitkwam, als ze al vooruitkwamen.

Nog een hoek om en nog eens de nietszeggende witte muren.

Jay kon lang stil zijn in gezelschap. Hij had niet de neiging om alles hardop te delen met zijn medemens. Maar nu begon het toch te kriebelen. Hij kreeg zin om een van die nietszeggende zinnetjes te zeggen die hij normaal verfoeide als 'lange gang hè' of 'weinig deuren hè', zelfs 'wat woont u hier mooi' schoot door zijn hoofd. Daar kon hij even over gniffelen.

Het kwam hem op een onderzoekende blik van Ger te staan.

Na de volgende hoek was het gedaan met de pret. Ze stopten voor een rode deur.

Ger en Joop bleven op de gang. Jay liep achter de man met het geruite jasje naar binnen. In de kamer stond een tafel met twee stoelen eraan. Op de tafel stond een bedieningspaneel van een of ander apparaat dat verder niet zichtbaar was.

Jay ging zitten. Voor het eerst kon hij de man van de achteruitkijkspiegel goed in zich opnemen. De man ging tegenover Jay zitten, nam zijn bril af en trok het bedieningspaneel naar zich toe. Deze man had alles onder controle. Zelfs zijn haar was in zo'n perfecte scheiding gekamd dat het wel met een penseel geschilderd leek. Toch niet helemaal Sean Connery.

'Jay, mijn naam is Jean Maas. Je hebt natuurlijk veel vragen en ik zal open kaart met je spelen, in die zin dat ik je meteen vertel dat ik je niet alles mag vertellen.'

Hij keek Jay rustig aan. Maas had van die ogen waar je alles aan wilde vertellen: helder, betrouwbaar, hoopgevend.

'Maar wat ik je kan vertellen, vertel ik je nu. Wij zijn een soort politie, de vreemdelingenpolitie zou je kunnen zeggen, en nu hebben wij een vreemdeling van wie we niet zoveel snappen. Daarom hebben we die oproep via de media gedaan. Natuurlijk lokte dat veel grappen uit. En eerlijk is eerlijk, sommige zijn echt leuk. Die van jullie bijvoorbeeld vinden wij heel creatief.'

'Hoe bedoelt u?' Jay wilde helemaal geen u zeggen, maar Maas was echt een man waar dat bij hoorde. Het floepte er zo uit.

'*Mag ik een potlood?* Dat is zoveel beter dan al die andere die we binnenkregen. Het gaat nergens over en voelt toch sterk aan. Heel knap. Bijna een songtekst. Was die van jou?'

Jay wilde ja zeggen. Het leek zo makkelijk om ja te zeggen. Alsof je Maas er echt een plezier mee kon doen. Maar waar zei hij dan ja op?

'Hoe bedoelt u?'

'Had jij die tekst bedacht?'

'Nee.'

'Wie dan?'

'Dat... dat zei die stem.'

'Welke stem?'

'Die stem op het journaal.'

'En waarom hebben tien andere kinderen precies hetzelfde gehoord. Dat is wel erg toevallig, vind je niet?'

Jay haalde zijn schouders op.

'Wat bedoel je? Vind je het niet erg toevallig?'

'Ik weet niets over toeval. Ik weet alleen dat ik dat gehoord heb. Ik ken niemand anders die antwoord heeft gegeven. Ik snap ook niet waarom ik hier ben.'

'Jay, je kunt ons helpen. We willen testen wat die andere kinderen zeggen dat ze gehoord hebben. We luisteren naar wat fragmenten en dan kun jij meteen zeggen wat je hoort. Zo kun je ons helpen en wie weet de staat flink wat geld besparen. Mag ik je vragen om je telefoon uit te zetten?'

'Ik heb geen telefoon,' zei Jay.

Maas knikte alsof hij dat al wist. Hij hield een knop ingedrukt op het bedieningspaneel. 'Wij zijn klaar om te beginnen,' zei hij luid en vervolgens tegen Jay: 'Eerste fragment.'

In de kamer klonk geluid. Hoge tonen liepen over in lage. Het had een sitar kunnen zijn, een Indiaas instrument dat iets weg had van een gitaar, maar Jay dacht eigenlijk dat het elektronisch gemaakt was. De tonen waren te zuiver. Het leek alsof iemand twee standen op de synthesizer gemengd had, Jazz39 en Klarinet12 of misschien een van de Cymbals.

'En kun je dat vertalen?'

Jay fronste. 'Hoe bedoelt u?'

'Wat heb je gehoord?'

Jay twijfelde. Het was ook wel erg veel gevraagd. Hoeveel geluiden had een synthesizer wel niet. Maas zat hem ondertussen vol verwachting aan te kijken. Alsof hij wilde dat Jay een antwoord gaf. Wat kon Jay doen? Wat had hij te verliezen?

'Oké.'

'Oké wat?' Maas keek hem doordringend aan.

'Ik wil het wel zeggen.'

'Jij herkent dus dit fragment?' Er sloop iets hards in de stem van Maas.

'Nou ja, het is niet makkelijk. Maar ik denk Jazz39 en Cymbals19. Al zou het ook...'

Jay stopte, want Maas was opgestaan. 'Dan zijn we klaar, Jay. Dit is tijdverspilling.' Met strakke passen liep hij naar de deur. 'Iemand zal je thuisbrengen.'

'Nou ja, ik zei toch dat het moeilijk was.'

'Moeilijk? Je bent door de mand gevallen. Het was een strikvraag. Je wordt bedankt en bedank je tien vrienden ook maar.'

'Maar ik...'

Maas schudde zijn hoofd. Daar sprak zoveel ergernis uit dat Jay zweeg. Wat kon het hem ook schelen. Uiteindelijk was iedereen hetzelfde. Net toen hij plezier begon te krijgen in deze rare dag, werd het toch vervelend. Begrepen ze hem niet. Nou ja, alsof hij iets anders gewend was...

Een blauwe Ford Focus met Joop achter het stuur en Jay alleen op de achterbank reed de beveiligde poort uit. Geen Audi voor de terugtocht.

5

Maas ging naar de techniekkamer om alle opnamen van de sessie van de harde schijven te verwijderen. Hij was teleurgesteld. Hij had nooit echt geloofd dat het slim was om het grote publiek erbij te betrekken, maar desondanks was hij in dat De Bono-joch gaan geloven. Hij had wel honderden criminelen ondervraagd en zijn gevoel had hem verteld dat deze jongen de waarheid sprak. En nu bleek dat niet zo. Bij de allereerste strikvraag – een geluidje zorgvuldig samengesteld door hun technicus Victor Linthorst – was dat joch door de mand gevallen. Een verrader gebleken. Maas had de andere vragen niet eens meer gesteld, zo teleurgesteld was hij. Hij kon zijn eigen gevoel niet eens meer vertrouwen.

Via een glazen deur kwam hij de techniekkamer in.

'Vic, zet die sessie met De Bono maar op de gele harde schijf.'

Victor Linthorst was een slanke jongeman met onregelmatige baardgroei. Op sommige stukken van zijn kin kwamen er lange zwarte haren uit en op andere was zijn huid zo glad als van een baby. Maas snapte niet dat Vic zich niet elke dag simpelweg gladschoor. Daarbij kauwde Victor de hele dag, waardoor die haren continu in beweging waren. Hij had een plastic trommeltje bij zich waaruit hij aan één stuk door stukken komkommer at.

'Er klopt iets niet. Ik heb maar een heel kleine file,' zei Vic met volle mond.

Maas was alweer onderweg naar de deur. Hij hield de klink vast en keek om. 'Dat klopt wel, het was een kort gesprek. Jouw nepgeluid heeft hem erin geluisd. Jazz39 en Cymbals19 hoorde hij erin, de fantast.'

'O, dat is knap.'

'Het is maar wat je knap vindt. Wij zijn weer bij af.'

'Nee, ik bedoel, ik had ze gemengd en vertraagd afgespeeld. Dus dat hij het er toch uit haalt vind ik erg knap. Muzikant zeker?'

Maas liet de deur los en draaide zich volledig om. 'Verklaar je nader.'

Victor pakte een stuk komkommer uit het plastic bakje voor hem. 'Ik heb het fragment op de synthesizer gemaakt. De geluiden die ik gebruikt heb, hebben namen. Jazz39 en Cymbals18. Hij zit er maar één naast, ik geef het je te doen. Ik betwijfel of ik het zou kunnen.'

Maas staarde naar Victor. 'Je bedoelt dat dat joch...'

'... goede oren heeft,' zei Vic en hij lachte vervolgens met open mond waardoor Maas zijn hoofd moest wegdraaien.

'Bel Joop voor me,' zei Maas. 'Zeg dat hij onmiddellijk omdraait.'

***

Jay zat weer op de stoel met Maas tegenover hem aan de tafel. Op die tafel stond nu ook een blikje cola en lagen twee pistoletjes. Een met kaas en een met ham. Jay vond dat je deze geheimzinnige vreemdelingenpolitie van veel kon beschuldigen, wispelturigheid om maar met iets te beginnen, maar smaakvolle lunches verzorgen zat daar zeker niet bij.

Vlak bij zijn school zat een Surinaams eettentje waar hij vaak een broodje pom haalde, met extra sambal. Het was geen wasabi, dat zeker niet, maar het deed in ieder geval iets in zijn mond. Deze broodjes daarentegen smaakten alsof ze gemaakt waren om vreemdelingen die zich hier wilden vestigen in een zo vroeg mogelijk stadium af te schrikken.

Maas was nu wat aardiger. Jay dacht dat dit waarschijnlijk te maken had met een of andere verhoortechniek. De *good cop* en *bad cop* verenigd in één persoon. Net als dat wegsturen en dan weer terughalen er zeker ook aan moest bijdragen dat Jay zou doorslaan. Nu kon hij niet eens doorslaan. Hij had eerder de indruk dat iedereen om hem heen was doorgeslagen. Een gevoel dat hij overigens al jaren kende en wat hem hier op een rare manier wel sterk maakte.

'Is er ook mosterd?'

Maas knikte en drukte een knop in. Niet veel later kwam Ger de kamer in, zette een schoteltje met twee zakjes mosterd op tafel en verdween weer.

Nog even en dit ging amusant worden.

'Kun je uitleggen wat je hoort? Wij horen het namelijk niet.'

Jay keek op van zijn zakje mosterd. Hoe moest hij dat verder uitleggen? Hij hoorde gewoon steeds hetzelfde verzoek om een potlood.

Voor de vijfde keer draaide Maas het fragment af. 'Hoe werkt het? Hoor je woorden, lettergrepen? Moet je het in stukjes vertalen?'

'Ik hoor het eigenlijk allemaal tegelijk en het is geen vertalen.'

'En als ik het halverwege stilzet?' Maas deed het.

'Ja, dan hoor ik het ook.'

'En bij een kwart?'

'Dat is te weinig.'

'Wat hoor je dan nog? Mag ik...?'

Jay schudde zijn hoofd. 'Er zijn geen delen. Je begrijpt alles of niks. Op het moment dat je het begrijpt, begrijp je het ook helemaal.'

'Dat begrijp ik niet,' zei Maas.

'Dat bedoel ik,' zei Jay. 'Je begrijpt het of wel of niet, er zijn geen stukjes.'

'Dat is te simpel.'

'Dat zeg jij.' Jay ging weer mosterd smeren. Hij zat er niet mee. 'En waar had hij trouwens dat potlood voor nodig?'

'Hoe bedoel je?'

'Nou, hij wilde toch een potlood? Waar wilde hij het voor?' Af en toe vroeg Jay zich werkelijk af of volwassenen in staat geacht mochten worden om de wereld te runnen. Ze begrepen echt niets.

'Ja, natuurlijk.' Maas sloeg enkele bladzijden terug in de map die hij voor zich had. 'Dat is onbekend,' zei hij uiteindelijk.

'Hebben jullie hem geen potlood gegeven?' Jay kon het ongeloof niet uit zijn stem houden. Dit waren mensen die bereid waren om hem een dag van school weg te houden en op zijn laptop in te breken en dan was een potlood geven te veel moeite?

'Jay, we hebben jullie vertaling tot vandaag niet serieus genomen.'

'Nou, dan zou ik dat maar eens doen dan. Mag ik nog een cola?'

Twee uur en twaalf fragmenten later begon Jay er genoeg van te krijgen.

'Hij zegt maar twee dingen: "Mag ik een potlood?" en "Wat gebeurt er?" Ik vind het niet leuk meer. Mag ik naar huis of hem zien of iets?'

Maas zag er nog even fris uit als vanochtend. Alsof dit zijn dagelijks werk was. Wat het natuurlijk ook was. Nu had Jay ook al jaren ervaring met het stilzitten en steeds weer zinloze vragen beantwoorden, maar dan met zijn dertigen in één lokaal. En dan veranderden ze het onderwerp tenminste nog elk uur.

Hij wist niet hoe het kon dat hij het verstond. Hij wist niet wat het betekende. Hij wist ook niet waarom ze het zo belangrijk vonden. Maar als hij één ding had overgehouden aan al die jaren school, was het dat hij het prima vond om iets niet te weten. Wat had je eraan? Wat maakte het uit?

Deze dag was zo anders begonnen dan anders dat hij even wakker geschud was, zijn snoozeknop was met kracht uitgezet. Opeens wilde hij zélf dingen weten in plaats van de leraar. Wat je al niet met een beetje thee gooien en rennen over het Museumplein kon bereiken. Maar ondertussen viel het metersdikke muskietennet dat normaal tussen hem en de wereld in hing weer op zijn plaats. Hij had al honderden vragen beantwoord over waar hij gewoond had, welke taallessen hij ooit gehad had, wat hij met zijn moeder besprak, waar hij met vakantie was geweest... De fragmenten waren nog wel leuk, maar zelfs daar ging nu de charme wel vanaf.

'Ik wil hem zien.'

'Je weet dat je hem niet mag zien. Ik heb in het begin de spelregels duidelijk uitgelegd. Maar we doen het anders. Ik heb nu een liveverbinding met hem onder de knop. We hebben hem potlood en papier gegeven.'

'En wat doet-ie?'

'Hij schrijft niet, hij sabbelt op het potlood. Daar kun je hem ook naar vragen. Hier...' Maas schoof een vel papier naar Jay. 'Stel hem deze vragen. En Jay, probeer niets grappigs.'

Jay maakte een briesgeluid door zijn neusgaten. 'Voorlopig zijn jullie hier de grappenmakers.'

'Komt-ie,' zei Maas en hij drukte op een knop.

Ineens hing er spanning in de lucht. Jay keek naar Maas die driftig naar het papiertje wees. Maar Jay leek gevangen in het moment. Het was nu geen spelletje meer.

Maas schreef iets in zijn notitieblok en hield het omhoog. 'Zeg Hallo' stond er in koeienletters dwars door de lijntjes heen.

'Hallo,' stamelde Jay.

Het bleef stil, maar de spanning ging niet weg. Jays ogen keken langs het witte plafond van de ene hoek naar de andere. Waar zaten die luidsprekers?

'Hallo?' zei hij nog een keer.

Maas zat gebiologeerd naar het scherm op zijn bedieningspaneel te kijken. Maar dat interesseerde Jay niet. 'Hallo, ben je daar?'

Stilte.

'Heb je je potlood gekregen?'

Stilte.

'Dat had ik gestuurd... had je daar... had je... Was-ie lekker?'

Met langgerekte tonen kwam het antwoord alsof elk woord gezongen werd en toch was het geen lied. Het was gewoon een zin. Zo kort en helder dat het nog geen seconde had geduurd.

'Je begrijpt mij.'

Maas drukte op zijn knop. 'Wat zei hij?'

Jay keek Maas aan alsof de man uit het niets verschenen was.

'Hij zei: je begrijpt mij.' Zo vanzelfsprekend, zo simpel, zo krachtig.

'Eindelijk. Stel hem de eerste vraag.' Maas drukte weer op de knop.

Jay keek op het blaadje.

'Waar kom je vandaan?'

Weer kwamen de tonen, en het langgerekte antwoord dat weer zo kort leek toen het eenmaal klaar was. 'Jij begrijpt mij.'

Maas drukte weer op de knop. 'En?'

'Hetzelfde,' zei Jay.

'Welnee, het klonk heel anders.'

'Voor mij niet.'

'Jay...'

'Nou, bijna hetzelfde dan. Hij zei hetzelfde maar net iets anders.'

'Hoe kan het nou hetzelfde zijn en toch anders?'

'Weet ik veel! Dat deed hij gewoon. Dat kan toch.'

Maas legde zijn hand weer op de knop, maar keek Jay strak aan. 'Jay, ik wil in ieder geval dat wij elkaar goed begrijpen. Geen spelletjes.'

'Het lijkt alsof je me niet wilt begrijpen,' zei Jay.

Maas trok zijn hand terug van de knop. 'Ik wil alleen zeker weten dat we elkaar niet lopen te bedriegen. Ik hoor twee totaal verschillende dingen en jij zegt dat het hetzelfde is. Je begrijpt dat ik dan ga twijfelen.'

'Voorlopig zijn jullie de enigen die proberen te bedriegen met die strikvragen. Maar kom op... druk nou.' Jay knikte naar het bedieningspaneel.

Maas legde zijn hand op de knop en bleef Jay aankijken. 'Begrijpen wij elkaar?'

'Jaha...'

'Jay.'

'Ik doe mijn best, hoor.'

'Oké.' Maas drukte.

Jay liep het lijstje af. Stelde alle vragen die Maas wilde, maar kreeg steeds het antwoord jij begrijpt mij. Op een bepaald moment had hij geweigerd verder te gaan.

'Het heeft geen zin.'

'Waarom niet?' wilde Maas weten.

'Hij... hij... hij is tevreden dat hij begrepen wordt en hoeft even niets meer of zo.'

Ze brachten hem met de Ford Focus terug naar zijn fiets in Amsterdam. Met het verzoek of hij in het weekend nog een keer wilde komen.

Dezelfde avond was Maas op de beveiligde kamer van Harold Klein. Hij liep heen en weer terwijl Klein het rapport las.

'Wat moet ik hiermee?'

'Ik wil een paar van de andere kinderen erbij halen.'

'Dat wil die Max van je zeker weer. Elk persoon die erbij betrokken wordt vergroot het uitlekrisico. Wil je de kranten erbij hebben? Wil je echt voor een camera gaan staan en uitleggen wat we hier hebben?'

'Ja, maar we moeten toch weten wat het is?' Maas hief zijn armen op.

'Wat is er met jou? De vorige keer zei je dat het vanzelf doodging.'

Maas liet zijn armen vallen. 'Dat... dat potloodzuigen geeft hem energie.'

'Wat?'

Maas begon weer te ijsberen. 'Of het komt door het contact met die jongen, hij lijkt meer energie te hebben.'

'Het, Jean, het. Maak er geen persoon van. Als het al iets is, is het een vergissing van de natuur. En een die wij gaan corrigeren.'

Maas bleef staan en keek lang naar de muur. Daar hing een fotokalender. Bij deze maand hoorde een foto van een waterval. De fotograaf had erg zijn best gedaan om het zonlicht via het vallende water te vangen. Het vallen kreeg daardoor iets vrolijks, iets levendigs. Je kreeg bijna zin om je ook in een afgrond te storten.

'Harold, na al die jaren wil ik je één keer om een gunst vragen. Eén keer.'

Klein keek gepijnigd en begon zijn hoofd te schudden. 'Doe het niet, Jean... doe het niet.'

Jean keek hem recht aan. 'Ik wil dat je... dat je "het" in levenden lijve, met je eigen ogen komt zien.'

6

De volgende dag fietste Jay weer naar school. Hij was bijna teleurgesteld dat hij daar zonder enig incident aankwam. Ietwat verloren keek hij vanaf zijn zadel rond. Moest hij echt gewoon weer de hele dag doorbrengen met van lokaal naar lokaal sjokken en mensen dingen vertellen die ze al wisten?

'Hoe was je begrafenis?'

Jay draaide zich om op zijn zadel. Het was Plaat. Plaat heette in werkelijkheid Sander Wilkes, maar had volgens degenen in de klas die daarover gingen een enorme plaat voor zijn kop. Zodoende werd hij al een jaar of twee Plaat of soms Zandplaat genoemd. Hij stond zich met zijn schooltas nog achter op zijn fiets uit een felgeel regenpak te wurmen. Jay keek even omhoog. De lucht was strakblauw.

'Hebben ze je wijsgemaakt dat ik begraven werd?' Jay stapte af, zette zo snel mogelijk zijn fiets aan een hek vast en zette koers naar de ingang van de school. Hij was niet snel genoeg. Zijn regenpak nog in zijn tas frommelend haalde Plaat hem in.

Toen ze moesten stilhouden vanwege de drukte voor de ingang lukte het Plaat zijn regenpak op te bergen.

'Had je regen verwacht?'

'Dan ben ik beter zichtbaar.'

Jay knikte en keek voor zich. Hij deed, zoals zo vaak, zijn best om niet iets heel sarcastisch te zeggen. Gemeen zijn was zo makkelijk, zo platvloers, zo gewoon... Jay beet op zijn lippen.

'En ik wist wel dat het niet jouw begrafenis was. Weet je waarom?'

Jay had zijn grenzen. 'Nee, Plaat. Waarom?' Het sarcasme brak door als een zon door de ochtendnevel.

'Dan was ik wel gekomen.'

De opstopping was verholpen en de mensen om hen heen kwamen in beweging. Ook Plaat stapte de deur door. Jay kreeg van achteren een duw. Hij had niet door dat hij als enige stilstond.

Harold Klein keek naar een vlieg die door het open raam naar binnen was gekomen en op zijn arm landde. Hij zat in zijn auto en keek uit over het strand van Scheveningen. Hij had drie afspraken afgezegd. Met één sms. Het had nog geen minuut gekost om dat te doen. Hij liet de vlieg zitten en keek weer over de zee uit. Vanochtend om zeven uur had Jean Maas hem het wezen getoond en nu zat hij hier. Het enige waar hij aan kon denken was dat het goed was dat al dat water er was. Wat goed, dacht hij. Heel goed. Hij wilde erheen. Hij wilde het strand op.

Met een klap maakte hij een eind aan het leven van de vlieg. Wat was er met hem aan de hand? Hij was hier zijn tijd aan het verlummelen. Nog even en hij liep op het strand te pootjebaden. Hier moest tegen opgetreden worden. Toestemming voor het onderzoek had hij al gegeven. Kon hij dat nog terugdraaien zonder wispelturig te zijn? Verdomme... Wat gebeurde er toch allemaal?

Wat hij in ieder geval wel kon, als hij hard reed, was die laatste afspraak halen. Hij startte zijn auto en reed abrupt weg. Dat hij daarbij een gezin van vier bijna halveerde ontging hem. Hij lette op de weg voor hem. En niets anders.

Max Bretter deelde de elf kinderen op in drie groepen. Hij wilde een experimenteergroep hebben, een controlegroep en een neutrale groep als reserve. Hij had een dobbelsteen laten beslissen hoe de groepen zouden worden samengesteld. De wetenschappelijke aanpak had hij het genoemd.

Jean Maas had een alternatieve aanpak. Alleen kinderen met ouders die ambtenaar waren kwamen in de experimenteergroep. Zo zou de kans groter zijn dat de kinderen zich aan de geheimhoudingsplicht hielden. Ze zouden tenslotte niet willen dat hun ouders hun baan verloren. De realistische aanpak noemde hij het.

Een veelvraat was het wezen niet. Er ging één potlood per drie dagen doorheen.

'Mag ik een potlood...'

Met een ruk keek Jay om.

Daardoor haperde Jeannette Kranendonk even voordat ze haar zin afmaakte. '... gebruiken, meneer?' Ze stak haar tong uit naar Jay die snel weer voor zich keek.

'Dat zie je niet vaak meer in 3 havo,' zei Hanssen, de leraar Nederlands, 'het uitsteken van de tong. En ja mejuffrouw Kranendonk, u mag een potlood gebruiken.' Er werd zowaar gelachen, iets wat niet snel gebeurde in de les van Hanssen en hij leek er zelf wel mee in zijn nopjes. Hij was een grote man met een volle baard, die al jaren geleden vergeten was waarom hij leraar wilde worden.

Jay keek nog eens achterom en kreeg van Jeannette, wier hoge jukbeenderen nogal duidelijk rood geworden waren, nu geen tong, maar wel een blik die aangaf dat Jay een rekening had geopend die te zijner tijd terugbetaald zou worden.

Met een glimlach keek Jay weer voor zich. Op zijn so schreef hij in de marge: ze wil me pijn doen. Vervolgens vermaakte hij zichzelf door de laatste twee woorden met zijn hand af te dekken en ze dan, als ware het plotseling, weer tevoorschijn te laten komen. Zijn concentratie werd er niet door verstoord, integendeel, hij haalde zijn hoogste cijfer ooit.

Op donderdag ging de telefoon.

'Dag Jay.'

Het was die man. Van de Audi. Jay wist het meteen, al kon hij niet op zijn naam komen. Jay verplaatste de hoorn naar zijn andere oor.

'Je weet wie ik ben?'

'Mmm-h.'

'Jay, ik wil je een voorstel doen. We willen je hulp weer hebben voor ons onderzoek. Zou je deze zaterdag kunnen?'

'Ja.'

'Je krijgt een vergoeding. Zie het als een bijbaantje. Als het niet hoeft, praat er dan niet over. Als dat wel nodig is zeg je dat je een proefpersoon bent voor een smaakonderzoek bij tieners. Een nieuw soort snoepje. Je verdient vier euro vijftig per uur. Begrijpen wij elkaar?'

'Ik begrijp u als u dat bedoelt.'

'Dat bedoel ik. Je wordt opgehaald om tien uur op de hoek van je straat.'

7

‘Wat denk jij dat het is?’ vroeg Tobias.

Niemand gaf antwoord. Ze waren met zijn vieren in de witte kamer met het bedieningspaneel. Maas had ze alleen gelaten. Toen hij de deur doorkwam was Jay niet voorbereid geweest op het ontmoeten van andere mensen, laat staan andere kinderen. Hij kwam om die stem te horen en te voelen. Dus toen hij binnenkwam en twee jongens en een meisje vanaf hun plastic klapstoelen nieuwsgierig zag opkijken, was zijn eerste reactie er vooral een van afschuw.

De drie zagen er op zich niet heel intimiderend uit. Links zat een jongen met een rode bril op zijn spitse neus, warrige krullen en een geruit overhemd. In het midden hing een jongen met laaghangende spijkerbroek, rood T-shirt, armen over elkaar en een honkbalpet op zijn stoel. Helemaal rechts zat het meisje: halflang, gitzwart haar met een lichtblauwe haarband en lichtblauw gespoten Dr. Martens-boots en verder was ze in het wit. Witte linnen broek, wit spijkerjack over een wit T-shirt. Ze keek alsof ze overal wilde zijn behalve hier.

Maas stelde ze aan Jay voor en legde daarbij uit dat het niet de bedoeling was dat ze elkaars achternaam wisten. De spitsneus heette Tobias. Meneertje honkbalpet Stein. En het moeilijk kijkende meisje heette Rachel. Ze corrigeerde Maas meteen en zei dat je het op zijn Engels moest uitspreken: Reetjel.

Het irriteerde Jay dat Maas hen meteen na het voorstellen alleen had gelaten. Daar zat vast wat achter. Die zat hen nu door camera’s te bekijken of zo. Jay scande de muren en het plafond met zijn ogen.

‘In de lampen,’ zei Stein.

Jay gaf hem een vragende blik.

'Die zwarte bolletjes naast de lamp.' Stein wees met zijn kin zodat hij zijn ineengeslagen armen niet los hoefde te maken.

'Wat is daar?' vroeg Tobias.

'Camera's, dat heb ik je net al verteld.'

'O, daar hebben jullie het over.' Tobias ging terug naar zijn eerste vraag. 'Wat denk jij dat het is?'

Jay ging op de stoel tussen Tobias en Stein zitten. Hij had nog geen woord gezegd.

'Ik denk een radiotransmissie uit de ruimte of een geïsoleerde stam uit de Amazone of een geluidsband die te lang in de zon heeft gelegen. Hij denkt een glips en zij zegt niks.' Hierbij wees Tobias respectievelijk zichzelf, Stein en Rachel aan.

'Een *glitch*,' zei Stein 'geen glips!' Hij keek Jay aan. 'Zeg me dat jij wél weet wat een glitch is.'

Jay knikte. Iedereen die geluidsopnamen maakte wist dat een glitch een geluid was dat er niet hoorde te zijn. Een stekker die per ongeluk half loszat en een wonderbaarlijk elektronisch geluid maakte dat gek genoeg soms perfect paste bij het nummer dat je opnam.

'Eindelijk.' Stein haalde zijn armen van elkaar en ging vooroverzitten. 'Hoeveelste Prestige? Wat is je KD?'

Jay keek hem aan alsof hij een andere taal sprak.

Stein ging echter gewoon door. 'Ik neem meestal predator, harrier, tactical nuke. Maar had laatst de nuke zonder killstreak. En jij?'

Jay keek opzij. Zo te zien kon hij van Tobias en Rachel geen hulp verwachten.

'Ik begrijp geen woord van wat je zegt,' zei Jay.

'Maar als je weet wat een glitch is ben je toch een gamer... je speelt toch wel Call of Duty?'

Jay schudde zijn hoofd.

Stein ging weer achteroverzitten met zijn armen over elkaar.

Tobias rook zijn kans weer. 'Maar wat denk jij dat het is?'

Nu hielden ze allemaal hun mond en keken naar Jay. Zo ontkwam hij er niet aan om iets te zeggen. Hij haalde zijn schouders op. 'Gewoon...' zei hij.

'Gewoon wat?' Rachel bemoeide zich er ineens mee met dezelfde felle stem waarmee ze Maas gecorrigeerd had over hoe haar naam uitgesproken moest worden.

'Gewoon... iemand.'

'Gewoon iemand!' Rachel haalde een nagelvijl uit de binnenzak van haar witte spijkerjack en begon haar nagels bij te vijlen. Alsof ze nu echt klaar was met hen allemaal. Haar nagels waren hetzelfde lichtblauw als haar schoenen en haarband. Jay kon zich niet aan de indruk onttrekken dat ze zo vijlde dat haar nagels scherper werden.

'Dus...' Tobias wees op zichzelf, 'uit de ruimte, een stam uit de Amazone of een geluidsband. Dan...' hij wees naar Stein. 'Een... een... glits.'

'Een glitch.'

'Dat zeg ik, een glits. Of gewoon iemand.' Tobias wees op Jay en nu keek hij Rachel aan om te zien of zij nog iets aan het rijtje wilde toevoegen.

Rachel keek niet eens op van haar nagels.

Daarna bleef het stil.

Maas kwam binnen met een blauwe map onder zijn arm. Daaruit haalde hij vier notitieblokjes en vier pennen en begon die uit te delen.

'Het lijkt wel een proefwerk,' zei Tobias en hij maakte een geluid dat, als het ooit als geluidsfragment de ruimte in gestuurd zou worden, buitenaardse wetenschappers vreselijk veel kopzorgen zou bezorgen. Hier in dit kamertje werd het vrijwel meteen afgedaan als nerveus gegiechel. Deze toehoorders hadden natuurlijk het grote voordeel dat ze het gezicht van Tobias erbij konden zien. Al leek niemand dit voordeel werkelijk op waarde te schatten.

'Jullie gaan weer fragmenten beluisteren, jullie schrijven op wat je hoort, daarna bespreken we het. Zijn jullie het daarmee eens?' Maas nam plaats achter de tafel.

'Wat een democratie ineens,' zei Rachel binnensmonds.

'Sorry?'

'Wat een goed idee.' Rachel bleef Maas aankijken alsof ze heel lang geleden geleerd had dat dit de beste manier was om te liegen. Niet dat de ander je geloofde, maar die maakte er dan geen punt van. Net zoals nu.

Maas klapte zijn map open. 'Zet een 1 in de kantlijn, dan beginnen we met het eerste fragment.'

Hun ogen gingen even naar Tobias. En inderdaad flikkerde er iets in zijn gezicht, een impuls om weer iets te roepen over een proefwerk. De blikken van de anderen waren echter zelfs voor Tobias niet te missen en met een daad van zeldzame wilskracht slikte hij het in.

Drie fragmenten later keek Jay op zijn blaadje.

Mag ik een potlood?
Wat gebeurt er?
Jij begrijpt mij.

Tot nu toe was er geen enkele onenigheid over wat ze hoorden. Stein zat af en toe te krassen, maar was het wel eens met wat de anderen zeiden. Iedereen was het met elkaar eens. Best saai eigenlijk. Jay overwoog een keer iets heel anders op te schrijven en te zeggen. Gewoon om dit schoolse gedoe te doorbreken. Zou hij dat durven?

Bij het volgende fragment...? Dan moest het wel een beetje een scherpe tekst zijn. Het was zijn beurt om het als eerste voor te lezen.

Wat zou het worden? Even dacht hij aan de regenboog, maar ineens was er het zinnetje 'Een kwadraat is ook een getal' in zijn hoofd. Dat moest hem worden. Toen het fragment begon luisterde hij er niet eens naar maar begon meteen zijn zin op te schrijven. Het voelde als iets vluchtigs, iets dat weg zou kunnen waaien als hij het niet onmiddellijk vastlegde.

'Jay.' Maas gaf aan wie mocht spreken.

Jay probeerde niet triomfantelijk te klinken en niet te lachen. 'Een kwadraat is ook een getal.'

De anderen knikten.

Jay staarde hen aan.

Hoe konden zij...?

'Is er iets, Jay?'

Maas ontging natuurlijk niet veel.

Jay forceerde een geeuw. Zijn opwinding mocht niet zichtbaar zijn en dus kroop hij zo veel mogelijk onder het muskietennet der verveling. Dat kende hij zo goed dat hij daarin het meest zichzelf zou lijken. Tijdens zijn gaap schudde hij zijn hoofd zodat hij zijn stem niet hoefde te gebruiken.

'Wat zou deze zin kunnen betekenen?' Maas leek erin getrapt te zijn.

Tot nu toe had Tobias steeds als eerste antwoord gegeven op vragen aan de groep. Nu keken de andere drie hem ook weer aan.

'Kweenie,' zei Tobias.

Dit kwam hem op verontruste blikken van de anderen te staan. Onttrok hij zich aan zijn rol?

'Het is duidelijk een andere zin dan de voorafgaande,' vervolgde Maas.

Ze keken allen naar hun blaadje. 'Het is...' begon Stein.

'Ja?' vroeg Maas toen hij inhield.

'... geen vraag.'

'Klopt.' Maas knikte. 'En verder?'

'Verder niets,' zei Rachel.

Maas bleef knikken, maar minder enthousiast. 'Oké, voor mij is het de minst begrijpelijke van alle zinnen. Ik zie nog een bepaalde logica in de andere. Wat vinden jullie?'

'Ja, maar het is toch zo.' Gerustgesteld keken de anderen naar Tobias. Hij had zich weer in zijn rol geschikt. 'Een kwadraat is toch ook een getal.'

Maas was niet onder de indruk. 'Maar waarom dat zeggen?'

'Misschien wilde hij gewoon een keer wat anders,' zei Jay.

'Hij?' zei Rachel. 'Hoezo is het een hij?'

'Nou, voor mij klinkt het als een hij.'

'Typisch. Ten eerste zit daar helemaal niemand en ten tweede als er iemand zat kon het net zo goed een zij zijn. Dat je dat weet.'

'Zit daar iemand? Het was toch een geluidsfragment?' vroeg Tobias.

'Hebben jullie die liveverbinding niet gehad?' vroeg Jay.

'Wat?' riepen de anderen.

'Oké, rustig,' zei Maas. 'Er zit inderdaad iemand waarmee we jullie allemaal live willen laten praten, dat doen we in een kamer hiernaast. De anderen luisteren hiervandaan mee. Jay heeft dat al gedaan. Daarom gaan de anderen nu eerst. Stein, kom jij maar.'

Jay onderging de blikken van de overgebleven twee gelaten. Het besef dat hij als enige in contact was geweest met de mysterieuze persoon gloeide in hem.

'Wie is het dan? Wat is het? Hoe was het?'

Zelfs het enthousiasme van Tobias ergerde hem niet. En ook de venijnige blik die Rachel hem gaf kon hij hebben. Wat maakte jaloezie mensen lelijk. Of lelijker eigenlijk.

'Wat heb je dan allemaal gezegd?'

Jay keek Tobias aan. 'Je gaat het straks zelf meemaken,' stelde hij hem gerust.

Maas kwam weer binnen, ging achter zijn tafel zitten en legde een hand op het bedieningspaneel. 'Schrijven jullie mee…'

Jay vond het knap hoe Maas vragen kon stellen terwijl het eigenlijk geen vragen waren. Bevelen in schaapskleren.

'Hallo, ben je daar?' klonk Steins stem.

Het bleef even stil.

'Je bent samen,' zei de stem.

Ze schreven alle drie.

'En?' vroeg Maas.

Jay wist dat ze alle drie hetzelfde hadden. Dat kon gewoon niet anders.

Tobias zei het. Rachel en hij knikten instemmend.

Maas hield een knop ingedrukt. 'Prima, Stein, zeg maar dat het klopt en stel je vragen.'

'Eh, ja, we zijn samen. Waar kom je vandaan?'

'Zijn samen.'

Jay keek hoe Rachel het opschreef.

'Jay?' vroeg Maas.

Kalm keek Jay Maas aan. 'Zijn samen,' zei hij.

'Ik wil dat je het eerst opschrijft,' zei Maas.

Jay haalde zijn schouders op. 'Oké.'

Maas drukte weer op zijn knop. 'Stein…' begon hij, maar tegelijkertijd hoorden ze Stein al antwoorden. 'Ja, natuurlijk zijn we samen.'

'Stein, je stond nog niet open. Ik wil je graag na elk antwoord iets mee kunnen geven. Wacht daar dus even op.'

'Zo kan ik toch geen gesprek voeren.'

Rachel grinnikte. Jay keek van haar naar Maas, die het aan het overdenken was.

'Oké, ik hou je open, maar ga niet te snel. Ik moet de vertaling horen en ertussen kunnen komen. Anders sluit ik je weer af. Geef nu je antwoord nog eens.'

'Ja, natuurlijk zijn we samen. Wie ben jij?'

'Zijn samen.'

'Waar kom je vandaan?'

'Zelfde als jij.'

'Uit Brabant?'

Weer grinnikte Rachel. Jay keek naar haar. Lachen maakte mensen lelijker. Ze ontblootten hun tanden, maakten rimpels rond de ogen, schudden ongecontroleerd met ledematen, maakten geluiden en met een beetje pech scheidden ze er nog vloeistoffen bij af, zoals spuug, snot of kwijl. Maar zo heel erg vond hij het nu niet. Alhoewel. Ze trok haar neus wel raar op en het geluid was net een fluitketel die niet wilde koken. Pruttel, pruttel.

'Is er wat?'

'Wat?'

'Je zit me zo aan te kijken.'

'Welnee.'

Rachel ging rechtovereind zitten. 'Wel. Gluurder!'

'Oké, moet ik zeggen wat ik deed?'

'Genoeg,' kwam Maas tussenbeide.

Rachel stond op. 'Nee, nou wil ik het weten ook. Als smiechto hier tussen de bedrijven door gluurder speelt dan...'

'Genoeg, zei ik!'

Een bevel geheel zonder schaapskleren.

Daar kon Jay echter niet tegen.

'Ik keek hoeveel lelijker je werd van dat gegrinnik.'

'Jay!' Maas ging staan. 'Ik wil van jullie geen woord meer horen!' De scheiding in zijn haar was zowaar door elkaar gegaan. Alsof hij nog nooit zoiets schokkends had gehoord.

Daar ging Jay niet tegenin.

Rachel wel. Al gebruikte ze geen woorden. Ze kwam overeind, stapte naar voren en gaf Jay een schop, precies op het bobbeltje van zijn rechterenkel. Een stroomstoot van pijn schoot van zijn been naar zijn hersens en weer terug. Jay hapte naar adem. Het stuiterde heen en weer. Een scheurende, schroeiende pijn. Scherper dan een scheermes.

Gek genoeg was het Tobias die een gil slaakte. Hem werd het blijkbaar te veel. Maar afgezien van de hap naar adem gaf Jay geen kik. Hij reed de pijngolf uit en liet bijna niets merken, alleen zijn vochtige ogen vertelden iets over wat er vanbinnen gebeurde.

'Jij gaat daar zitten!' Maas was zijn kalme toon geheel kwijt. Hij wachtte tot Rachel op de lege stoel zat die zijn vinger aanwees en liep hoofdschuddend terug naar de tafel. 'Jullie lijken wel kinderen.'

Hij ging zitten en keek ze aan. Niemand zei iets. Niemand keek weg. De volwassen man en de drie tieners bekeken elkaar alsof ze voor het eerst doorhadden hoe vreemd ze voor elkaar waren en hoe onwaarschijnlijk het was dat ze elkaar ooit zouden begrijpen.

Ze aten in de kantine. Boterhammen met beleg. Zelfs het brood zat in plastic, net als de boter, het plakje kaas en het staafje ossenworst. Met zijn vieren aan een tafel creëerden ze langzaam een kleine berg afval tussen hen in. Zonder dat ze het afspraken legden ze steeds verpakking op verpakking en vanaf een bepaald moment moesten ze rekening gaan houden met hoe en waar ze het dumpten. Dan weer had de kleine berg ondersteuning nodig aan de zijkant en dan kon er weer wat bovenop bij om de top te verhogen.

Toen echt alles opgegeten was zaten ze achterover in hun stoel en keken ernaar.

'De Mont Blanc,' zei Tobias.

'Nee, de Kilimanjaro,' vond Stein.

'Of de Mount Everest,' kwam Tobias weer.

'Nee, K2,' zei Stein op een manier die Tobias duidelijk moest maken dat hij nu niets meer moest zeggen.

Maar Tobias was niet zo goed in het oppikken van intonaties van andere mensen, meestal was hij te druk bezig met wat hij zelf hierna zou zeggen.

'Of de... of de...' Tobias kon geen berg meer verzinnen.

'Geen eeuwige sneeuw,' zei Rachel.

Jay stond op. In de koeling stonden bekers yoghurt. Hij pakte er een en liep terug.

'Ja, als je hem ophebt is de beker eeuwige sneeuw,' zei Tobias.

Jay opende het lipje van de deksel en hield de beker schuin boven hun berg. De yoghurt kwam er in een onzekere straal uit, maar de straal won al snel aan kracht. Jay draaide rondjes zodat alle flanken hun eerlijke deel zouden krijgen. Even leek het echt een ansichtkaart van een winterse berg, ruw en afschrikwekkend, maar toch met iets lieflijks. Alleen op dat moment begon het plastic te schuiven en al snel was het niet meer dan een kliederboel van plastic met yoghurt eroverheen.

Een voor een werden ze ervan bewust dat Maas achter Jay stond. Jay als laatste.

'Ik ga niet vragen wat je denkt dat je aan het doen bent. Ik weet wel wat je gaat doen...' Hij hield een schoonmaakdoekje omhoog.

'Het was eeuwige sneeuw,' zei Tobias.

Jay schudde zijn hoofd. 'Eeuwige sneeuw bestaat niet.'

Het was eindelijk Jays beurt.

Hij zat alleen in een witte kamer. De stem van Maas zei dat hij zijn gang kon gaan. Maar wat hij ook vroeg er kwam geen antwoord.

'Hé, is die stem er nog wel?'

'De link is open. Misschien ligt het aan de manier waarop je het vraagt.'

'Ach, zak er toch in,' zei Jay. Hij strekte zijn benen en sloeg zijn enkels over elkaar. Hij ging geen woord meer zeggen.

Hij zat en de stilte duurde voort.

Maas spoorde hem niet aan. Er gebeurde gewoon niets. Nou, niets kon hij prima hebben. Niets was zijn vriend. Kom maar op met je niets. Hij zou ze eens laten zien hoeveel niets hij kon hebben. Jay liet zich onderuitzakken in de stoel en staarde voor zich uit. Dit kon hij lang volhouden. Het was akelig stil. Af en toe zoemde er iets... Als Maas weer een knopje indrukte waarschijnlijk. Maar toen begon heel zachtjes muziek te spelen, alsof via een open raam het geluid van een radio binnenwaaide. Het was zacht, maar Jay herkende het meteen. Het was zijn nummer. Ze draaiden zijn remix, die ze van zijn laptop hadden gejat.

Hij zou zich niet laten kennen. Dit werd een wedstrijd die hij niet kon verliezen. Als ze gingen strijden om wie het meest geen fuck gaf, om wat dan ook, dan hadden ze echt de verkeerde uitgekozen, écht de verkeerde. Hij keek naar zijn gestrekte benen en sloeg zijn enkels andersom over elkaar.

Zijn beat en zijn stem werden onderdeel van de kamer. Het deed hem niets. Niets was zijn vriend, zijn beste vriend. Lood onder de regenboog. Zag niemand daar de schoonheid van in? Nee, daar ging hij niet aan denken. Nergens aan en aan niemand niet.

Het geluid stierf weg en het was nog steeds dezelfde kamer. Een witte kamer met een houten tafel. Zijn muziek was er nog omdat die er geweest was. Omdat iets wat er niet meer was er voor hem toch nog was. Dingen konden niet echt verdwijnen, daarom moest je ook oppassen met wat je binnenliet. Het ging namelijk nooit meer weg. Net als zijn vader voor hem nooit weg was gegaan, niet echt. Hij bleef voor altijd aanwezig achter de muren die de binnenkant van de buitenkant scheiden.

'Je wilt mij niet.'

Jay ging vooroverzitten. Ze hadden hem. Dat was de stem. Daar kon hij niet stil bij blijven… of toch? Jay klemde zijn lippen op elkaar en luisterde gespannen. Was die stem ooit weggeweest?

De stilte begon tastbaar te worden, iets waar je met je vingers overheen kon glijden, braille voor de zienden, een ponsplaat van tijd die voor je langs trok en waar je gedwongen was elke inkeping, elk putje in te voelen. Wat al voorbijgetrokken was begon zich op de vloer op te stapelen als een oneindige plaat lood die zacht en zwaar zichzelf neerlegde. De verstreken tijd bedekte nu de vloer, vulde de ruimte, het werd te veel, te zwaar, als de fundering dat maar aankon… Het stevende af op een punt dat…

'Wat zei je?'

'Je wilt mij niet.'

'Hoe kan je dat zeggen?'

'Je wilt mij niet.'

'Ik ken je niet eens.'

'Jawel, je kent mij.'

'Ik… ik weet niet wat je zegt. Wat wil je? Ik snap het niet. Ik weet het niet.'

Bij de laatste zin bedekte Jay zijn gezicht met zijn handen. Hij wist het echt niet meer.

'Kom dan bij me.'

8

Maas hield de deur van de kamer waar de anderen zaten voor hem open. Hij zag ze zitten op hun klapstoelen. Ze keken. Hij keek terug.

'Hebben jullie...' Jay wees naar waar hij vandaan kwam. Al had hij op zijn voorhoofd gewezen, ze begrepen hem. Ze knikten.

'Hij wil...'

Ze bleven knikken.

Maas legde zijn hand op Jays schouder. Het was niet zozeer om hem naar binnen te duwen, meer om hem eraan te herinneren dat hij in een deuropening stond. Toch sprong Jay de kamer in alsof er een hoog voltage op die hand zat.

'Blijf van me af,' schreeuwde Jay. 'Blijf godverdomme van me af.'

Maas stond nog buiten de kamer met zijn handen omhoog.

'Rustig jongen. Je...'

'Ik? Ik doe helemaal niks. Jij bent het. Jij houdt hem gevangen. Jij doet niet wat hij wil.'

Onbewogen bleef Maas hem aankijken. Hij liet zijn handen zakken.

'We weten niet wat hij wil.'

'Jawel, mij zien. Hij wil mij zien.' Jays stem sloeg over. Hij keek de anderen aan. 'Toch?'

De drie andere kinderen knikten, langzaam, in hetzelfde ritme.

'Hij wil ons zien,' zei Rachel.

'Wij willen hem zien,' zei Stein.

Tobias begon sneller te knikken dan de anderen. 'De glits,' zei hij.

Maas kwam de kamer in en sloot de deur.

Jay knikte helemaal niet. 'Hij wil mij zien, toch? Mij alleen.'
Het knikken hield op.
'Wat ben jij zielig,' zei Rachel.
'Nee, maar ik bedoel, ik...' Jay keek om zich heen voor hulp. Maas was naar de tafel gelopen. Tobias en Stein keken naar Jay alsof ze iets vies roken.
Er was er maar één die hulp kon bieden.
'Waar zit hij?' riep Jay, en voordat hij er zelf erg in had was hij bij de deur, had die opengerukt en rende half struikelend de gang door.
Een antwoord zou hij toch niet gekregen hebben.

***

Jay was acht jaar oud en was de kamer uit gerend. Vader had over alles heen gekotst. Zijn beddengoed, zijn handen en de tekening die Jay speciaal voor hem gemaakt had. Oranje braaksel met slijm. Jay rende door de gangen die met hun linoleum vloer uitermate geschikt waren om op te rennen. Zijn gympen maakten een lekker geluid en ze konden ook zo goed afzetten. De zolen leken wel zuignapjes te hebben die extra kracht gaven, als je maar wist welke kant je op moest. Nu wist Jay dat niet, maar hij wist wel waar hij vandaan wilde en dat is voor je voeten zelfs beter, althans in het begin.
Hij sloeg een hoek om en kon nog net een oude, grijze meneer in een rolstoel ontwijken. Die had een oranje deken op zijn schoot. Die kleur... Jay rook aan zijn handen tijdens het rennen en kokhalsde. Hij had zijn tekening nog geprobeerd te redden. Tranen kwamen. Hij had nooit mogen wegrennen. Dat was natuurlijk te erg. Hoe zou papa zich nu voelen? Aargh! Nu kon hij helemaal niet terug. Kon hij maar niet denken aan hoe anderen zich voelden. Hij moest zich verstoppen. Hij probeerde de eerste deur die hij tegenkwam waar ALLEEN PERSONEEL op stond.

***

Jay probeerde alle deuren die hij tegenkwam. Hij wist dat hij weinig tijd had. Maas had vast al zijn zware jongens achter hem aan gestuurd. Het was natuurlijk een belachelijke impulsieve actie, dat wegrennen, maar voor Jay voelde het gek genoeg alsof hij precies wist wat hij deed.

Zijn handen tastten zonder haperen naar deurklinken, zijn voeten zetten passen alsof ze voor niets anders gemaakt waren. Hij sloeg een hoek om en sprintte een paar deuren voorbij. Hij wist gewoon dat wat hij zocht daar niet was en dat hij verder moest, snel, want tijd was belangrijk. Hij mocht hier misschien nooit meer komen. Dit was zijn laatste kans, zijn enige. Hij had zo weinig tijd, zo weinig...

Hij belandde in een gang zonder deuren, sprintte erdoorheen en sloeg links de hoek om. Hetzelfde. Alleen maar witte muren. Hij bleef rennen. Nog een deurloze gang. Een hoek om. Nog een. Jay bleef staan. Hij probeerde boven zijn eigen ademhaling uit iets te horen, voetstappen, geschreeuw, wat dan ook… Niets.

Zachtjes liep hij verder. Wandelpas. Hij sloeg weer links af en bleef staan. Nog een lege gang. Op de lamp na was er niets anders te zien dan glad wit gestuukte muur en plafond. Jay liep gestaag door en liet zijn hand langs de muur glijden. Bij de volgende hoek hield hij even in, alsof hij iemand de tijd wilde geven om de gang te prepareren en dan, om die persoon alsnog te betrappen, stapte hij ineens de hoek om. Onveranderd wit en leeg. Dit waren vier hoeken achter elkaar. Wat betekende dit? Dan was hij toch terug waar hij begonnen was…

Er klopte iets niet of was hij gek aan het worden?

Hij zette de pas er weer in. Bij elke hoek kon je maar één kant op. Linksaf. En dan weer. En dan weer. Het was een gesloten systeem, een vierkant. Dat was natuurlijk onmogelijk. Het kon gewoon niet.

Hij was er toch ook in gekomen? Hadden ze schuivende muren? Jay begon op de muren te kloppen… in de hoeken, in het midden, links en rechts. Alles maakte hetzelfde doffe geluid.

Hij zat als een rat in de val, een laboratoriumrat.

Hij liep de andere kant op. Hij moest toch terug kunnen? En misschien hielp dat tegen de duizeligheid die nu zijn hoofd deed tollen. Liep hij nu terug of was het heen? Ze deden er echt alles aan om te voorkomen dat hij... Waar was hij ook alweer op weg naartoe?

Jay stopte. Hij hield zijn handen voor zijn gezicht. Het was ze gelukt. Hij zakte in elkaar.

***

Ze vonden hem pas kort na middernacht. Een verpleegster wilde zich omkleden voor de nachtdienst en kreeg bijna een hartaanval toen ze het zielige hoopje kind in haar kledingkastje aantrof. Er was wel gezocht, maar vooral buiten het ziekenhuis. De portier kon zich namelijk herinneren dat er een kind naar buiten was gerend.

Jays moeder was sowieso in alle staten. Om twee minuten over acht, vlak na de openingstune van het avondjournaal, was haar man overleden.

***

Maas sloeg met vlakke hand op de tafel. 'Hoe is dit mogelijk?'

'We hebben mensen buiten. Hij kan nergens heen. Hij moet binnen zijn. We kunnen hem alleen niet vinden.' Ger probeerde zakelijk te klinken, zoals het hoorde. Maar ook hij vond het moeilijk te geloven.

'Mijn god. AIVD Speciale Operaties kan in hun eigen gebouw niet eens een kind vinden! Horen jullie de humor in mijn stem?'

Ger en Joop schudden voorzichtig hun hoofd. Er was geen humor.

'Vic,' snauwde Maas, 'toon ze de beelden.'

'Ja,' zei Vic en hij dubbelklikte haastig op een file op het scherm voor hem. Te haastig want hij moest het nog een keer doen om het te openen.

'Kijk, hier is hij.' Op het scherm verscheen Jay die een hoek om rende. 'En hier is hij niet.' Een statisch beeld van een lege gang.

'De camera en tijd kloppen. Alleen het klopt niet, het kan niet.'

'Oké, kom me maar halen!'

Jay had zijn handen aan zijn mond gezet om zijn stem verder te laten komen. Hij had al wel twintig keer het blokje om gelopen. Eerst de ene kant op, dan de andere. Als er ergens een schuifdeur verborgen zat in de wand, dan was het zo goed gemaakt dat het niet te detecteren was.

'Jullie hebben gewonnen, ik geef me over.'

Wegrennen, je verstoppen en dan gevonden willen worden. Het was om je voor te schamen. Maar hij wilde eruit. Als laboratoriumratten zich zo voelden als hij zich nu voelde dan zou hij nooit meer...

'Ik wil naar huis.'

Hij zat, hij liep, hij lag, het maakte niets uit. De muren bleven muren, de gang de gang en er kwam niemand. Was dit zo'n proef? Waren ze hem nu met een notitieblokje op schoot aan het observeren? Jay stak zijn middelvinger uit naar de lamp in de gang waar hij de observatiecamera's vermoedde. De gewone vinger was niet genoeg. Hij begon wat variaties te tonen en besloot dat hij ten minste twaalf duidelijk te onderscheiden vingervariaties moest hebben en begon ze namen te geven.

De klassieker: Een geheven middelvinger met gestrekte arm in de richting van het doelwit.

De dubbelklassieker: Als 1, maar dan met beide handen.

De klapvouw: Hierbij slaat de linkerhand op de binnenkant van de elleboog van de rechterarm waardoor die omhoogvouwt en een vinger toont.

De opdraaivinger: Hierbij wordt door het draaien aan een denkbeeldige hendel langzaam de middelvinger omhooggekrikt.

De Lucky Luke: Staand, alsof er sprake is van een pistolenduel, worden plotseling uit de heupholsters twee wapens getrokken die evenzoveel vingers blijken te zijn.

Door de benen: Spreekt voor zich.

Door de benen met bilklop: Na de vingers wordt er uitdagend op de eigen billen geklopt om aan te geven waar de ander goed voor wordt geacht, kan eventueel ook met *moonen*.

El Toro: Met twee middelvingers als hoorns valt een stier aan.

De banaan: Van een omhooggestoken hand worden er vingers als schil weggepeld tot er slechts één overblijft.

De mitrailleur: Onder het uitbraken van een ratatatatata-geluid worden continu vingers afgeschoten. Op doelwit afrennen kan effect vergroten.

De bomen en het bos: Twee middelvingers belemmeren het zicht op het doelwit, maar wat het gezicht ook aan bewegingen bedenkt om toch te kunnen kijken, de vingers bewegen mee.

De hacky sack: Na een onzichtbaar iets (een bal of een hacky sack) enige keren hooggehouden te hebben met voet, knie, borst en hoofd wordt het met de hand opgevangen en blijkt het een middelvinger te zijn.

Jay probeerde ook nog een uitgestoken middelvinger hoog te houden met zijn voeten, maar na een keer omgevallen te zijn en een keer iets te hard tegen zijn hand geschopt te hebben hield hij het voor gezien. Bovendien had hij zijn dozijn al.

Wat nu?

Het had geen zin om bij de pakken neer te zitten. Je kon beter iets doen. Hoe zinloos ook. Of hoe zinlozer hoe beter.

Hardop tellend liep hij door het midden van de gang, alsof er streepjes waren zoals op een snelweg en hij iedere streep moest tellen. Als hij de hoek om ging telde hij gewoon door. Na vier hoeken was hij weer onder de lamp. Honderdachtentwintig stappen.

Wat nu? Hij ging er maar gewoon mee door. 'Een, twee, drie...'

Vier hoeken later was hij terug bij de lamp en bij honderdtweeëntwintig.

Honderdtweeëntwintig?

Waren zijn stappen zo ongelijk? Was hij zes stappen kwijtgeraakt? Of was hij aan de andere kant van de lamp begonnen?

Dit moest preciezer kunnen. Jay trok zijn trui uit, legde die als markeerpunt op de grond en begon opnieuw. Bij zijn trui uitkomen zou honderdachtentwintig moeten zijn.

Honderdtwaalf, honderddertien, honderdveertien, goed, de hoek om gaan en... 'Wel godver...' Hij begon te rennen. Zijn trui was weg. Hij was vier keer een hoek om geslagen, geen twijfel mogelijk. Onder die lamp had zijn trui gelegen en nu was die weggehaald.

'Heel leuk, hoor,' riep hij om zich heen kijkend. 'Effe mijn trui pakken. Heel leuk. Wie is er nu kinderachtig? Eikels!' Hij gaf een spontane *freestyle* remix van de twaalf vingervarianten die, had er daadwerkelijk een camera in de lamp gezeten, vast en zeker YouTube gehaald zou hebben.

'Willen jullie me ziek hebben?'

Hij was dus echt een laboratoriumrat die aan allerlei fysieke of psychologische testen onderworpen werd. Nou, deze rat zou ze in ieder geval wel laten weten wat hij van ze dacht. Hij deed zijn gulp open en plaste tegen de muur. Wat? Hij plaste in het rond. Daarna liep hij vol walging weg. Wat een zootje. In de andere gangen schopte hij hier en daar tegen de muur, maar het lukte hem niet om zwarte strepen achter te laten.

Na drie hoeken om geslagen te zijn stopte hij. Hij hoefde niet echt zijn plasplek nog een keer te zien. Ergens schaamde hij zich dat hij zich zo had laten gaan. Maar het was dan ook extreem gemeen van ze om even uit hun geheime deur te komen en gniffelend zijn trui weg te halen als hij aan de andere kant was. Nu waren ze zeker... O nee, ze zouden toch niet...

Met enkele snelle passen was Jay toch bij die vierde hoek. Hij keek de gang in en kreunde vol afschuw. Ze hadden zijn trui teruggelegd in zijn pis. Daar in het midden van de gang lag zijn bruine trui. De schoften! Dit betekende oorlog.

Hij zag nergens urine. Ze hadden het zeker opgeveegd met zijn trui. Hoe erg was dat... Zelfs van de muur was de pisvlek verwijderd. Met de punt van zijn schoen duwde hij tegen zijn trui aan. Die zag er niet anders uit dan anders. Hij leek zelfs droog en stonk niet. Jay hurkte en raakte hem voorzichtig aan met een vinger. Hij pakte hem aan een mouw op. Er was niets mee aan de hand.

Jay stond met de trui in zijn hand lang na te denken. Wat voor spelletje speelden ze? Of was er iets anders aan de hand? Hij durfde eigenlijk zijn trui niet meer alleen te laten, maar hij wilde terug, het blokje om, naar waar hij geplast had. Tenminste als dat niet hier was...

Jay liet de trui vallen en liep weer terug in de richting vanwaar hij gekomen was. Hij sloeg de hoek om en stapte nog even terug om te zien of de trui er nog lag. Ja. Vervolgens rende hij de gangen weer door, sloeg drie hoeken links om en de trui was weg. Op die plaats had een of andere onverlaat gewoon op de vloer geplast. Hij draaide om en vier hoeken later was hij terug bij zijn trui. Dit was geen gewoon vierkant.

Het vierkant was eerst honderdachtentwintig stappen geweest, daarna honderdtweeëntwintig. Zijn trui lag vier hoeken later niet in zijn pis. Blijkbaar werd het vierkant kleiner. Dat kon natuurlijk eigenlijk niet. Maar daar wilde hij nu niet over nadenken. Hij zou gewoon een heleboel rondjes maken, of vierkantjes eigenlijk, om te kijken of het klopte. Misschien was het wel degelijk een doolhof.

Hij trok zijn trui weer aan en al tellend liep hij gestaag linksom de gangen door en na een goed kwartier en dertig of veertig hoeken wist hij het zeker. De gangen werden korter. Aan het begin waren ze zo'n dertig passen van hoek tot hoek en nu was het niet meer dan zesentwintig. Of hij groeide, of dit ging langzaamaan ergens heen.

Jay vroeg zich niet af hoe dat kon. Welke architect dit verzonnen had of waar het naartoe leidde. Hij liep en sloeg hoeken om. Meer niet. De witte muren, wit plafond met lamp en de grijze vloer waren hem zo vertrouwd alsof ze bij hem hoorden. Alsof hij hier al heel zijn leven gewoond had.

De lampen volgden elkaar steeds sneller op. Ze leken wel met elkaar verbonden. De lampen werden een steeds kleiner wordende cirkel van licht op het plafond. Het geheel werd een enorme tl-buis, een aureool met een fabrieksfout, een vuurpijl die veel te veel naar links trekt, een...

Jay stopte. Zijn hoofd draaide ook rondjes. Hij was duizelig geworden zonder het te merken. Daarom gingen zijn gedachten natuurlijk zo snel, klopte zijn hart zo heftig en waren zijn handen klam.

Hij bleef staan, leunde met zijn schouder tegen de zo vertrouwde muur. Want al die muren waren dezelfde voor hem.

Zoals de wind hetzelfde kon zijn of de kou of... daar ging hij weer. Hij zuchtte en wreef met zijn handpalmen over zijn ogen.

Waar kon hij nog op vertrouwen in deze omstandigheden? Nergens op. Maar wat dat betrof, was hij niets anders gewend. Dus...

Hij duwde zich af tegen zijn vriend de muur en begon weer te lopen.

De afstand tussen de hoeken werd zeven passen, zes, vijf, vier, drie, tweeënhalf. Jay hield nu een hand continu tegen de binnenmuur. Twee passen. Jay stopte en keek terug. Ineens ging hij twijfelen. Had hij wel de goede keuze gemaakt? Als hij de andere kant op was gegaan, was hij op een gegeven ogenblik misschien wel buiten gekomen, terwijl deze kant op...

Jay liep door. Grote pas, grote pas, draai, grote pas, kleine pas, draai, grote pas, draai, kleine pas, draai...

De muur was verdwenen. Jay stond in een donkere ruimte om zich heen te kijken. Hij keek om. Er was geen gang meer. Hij kon niet terug en hij had nog geen stap vooruit gedaan. Maar het stoorde hem niet. Waar hij naar onderweg was, was niet ver meer.

Hij moest alleen nog de laatste stap nemen.

Alleen maar zijn voet bewegen en alles zou anders zijn.

Ergens in zijn achterhoofd gilde een stemmetje: Doe het niet. Doe het niet... alles is toch prima zo... De stem werd zwakker ondanks dat die steeds harder gilde. Het was alsof deze door twee verplegers terug werd gesleept door een gang naar waar deze uit ontsnapt was.

Jay schoof de neus van zijn rechterschoen naar voren. Onmiddellijk gingen er lichten aan of nee, het was meer zo dat de duisternis uitging.

'Wel allejezus.'

Vic spoog een stuk komkommer uit en pakte de telefoon zo snel op dat zijn hele bureau inclusief beeldscherm trilde. Hij drukte op #9.

'Ik zie hem.'

'Eindelijk. Waar?'

'Bij... bij onze gast.'

'Dat is niet mogelijk. Dat kan niet. Hoe komt hij daar?'

'Dat weet ik niet. Maar hij is er.'

'Krijg de tering.' Maas had in jaren niet zo gevloekt. 'Zet het geluid naar me door en zorg dat je alle beelden hebt, alles. Laat hem niet nog een keer verdwijnen, Vic, of jij verdwijnt zelf. Ik ga er nu heen.'

Jay stond in een cel. Een rechthoekige kamer met een hoog tralieraam, een wc-pot en een stalen deur. In de hoek onder het raam stond een stoel. Daarop zat, met een deken op zijn schoot, een groot kind. Of een klein mannetje, het was moeilijk te zien. Het gezicht ving niet veel licht. Wat het ook was, het zat bewegingloos, en toch wist Jay dat het hem had opgemerkt.

Voorzichtig liep hij erop af.

Een gevoel in zijn borst werd sterker en sterker. Het was alsof iemand een vishaakje in zijn borst had geworpen en nu de lijn introk. Het werd daarna een soort gloeien, een gloeien zonder warmte. Het gevoel liep van zijn buik naar zijn keel en het werd zo sterk dat hij daar meer aandacht aan gaf dan aan zijn ogen.

Daardoor dacht hij dat hij het wezen steeds beter zag. Maar eigenlijk zagen zijn ogen nog niets beter, het was het gevoel in zijn borst dat steeds sterker en helderder werd. Zo helder dat hij met zijn borst vooruitliep alsof het een metaaldetector was die wist waar het wezen zat.

Het was ook moeilijk om te kijken. Niet alleen omdat hij zijn aandacht bij zijn borstkas wilde houden, maar ook omdat het mannetje, het wezen, het kind, de glits, wat het ook was, ongrijpbaar leek voor het netvlies. Jays ogen konden maar niet iets vinden om houvast aan te hebben. Wat ze zagen leek zodra hij het zag, er niet meer te zijn. En meteen daarna, net als je ging schrikken omdat iets voor je ogen verdween, was het er weer wel. Het gezicht, de borstkas, de armen van dit wezen hadden geen kleur, het was alsof ze uit een kleurloze gelei bestonden die bewoog zodra je er even niet naar keek. Daardoor leek alles te zwemmen rondom het punt dat je bekeek. Alleen zodra je dat probeerde waar te nemen door met je ogen naar zo'n beweging toe te gaan, stond het daar ook stil, met weer beweging eromheen waar je vervolgens weer naartoe wilde. Je moest haast wel met je borstkas kijken, want je ogen konden het niet aan.

Op vijf meter afstand hoorde Jay de bekende stem.

'Je bent hier.'

Jay knikte. Hij was hier. Daar was geen speld tussen te krijgen.

Hij wist niet of het wezen zijn knikken had gezien. Want waar je ogen zou verwachten zat diezelfde doorzichtige gel die aan het verglijden was. Het was daar alleen iets witter.

'Ik ben er,' probeerde hij te zeggen, maar er kwam geen woord. Hij schraapte zijn keel, hoestte en knikte. Knikken was genoeg.

'Je bent hier,' zei het nogmaals.

Jay voelde blijdschap als een wolk tussen hen in hangen. Een wolk waar je in kon stappen.

'Hallo,' zei Jay.

'Hal-lo.' Het mannetje zei het alsof het uit twee woorden bestond.

'Heb je het koud?' Jay wist niet waarom hij dat vroeg, door de deken misschien of die continu in beweging lijkende huid. Als die al huid was.

'Je bent er.'

'Ja, ik mocht niet bij je. Zij begrijpen jou niet.'

'Jij begrijpt mij.'

'Zij zijn bang voor je, denk ik.'

'Bang?'

'Ja, bang.'

'Bang?'

Jay wist niet of hij nou iets moest uitleggen. Hoe kon iemand niet weten wat bang was? Als er iets was dat al van kleins af aan bekend was, was het wel bang zijn, toch?

'Omdat ze niet weten wie je bent. Niet weten waar je vandaan komt.'

'Niet weten is bang?'

'Niet weten maakt bang.'

Een geluid achter hem deed Jay zijn hoofd omdraaien. Het geluid van een sleutel die in een sleutelgat wordt geschoven.

'Ze komen eraan,' riep Jay verschrikt.

Hij keek om zich heen. Waar was het begin van die gang? Zou hij die nog kunnen gebruiken? Jay tastte met zijn armen in de rondte.

'Misschien kunnen we weg. Hier ergens moet het zijn. Kom snel.'

Zijn armen voelden niets. Hij zocht met zijn voet, er moest toch iets zijn. Er was hier toch iets?

Hij keek om en zag dat het wezen op de stoel bleef zitten.

'Kun je lopen?'

'Niet nog.'

De deur van de cel bewoog.

'Ik laat je niet alleen,' riep Jay en hij zette zich af om naar de stoel toe te rennen, om zich op hem te werpen en hem te beschermen, hoe onmogelijk ook. Hij struikelde echter meteen voorover. Was zijn voet blijven haken? Maar er was toch niets...?

Zijn laatste gedachte voordat hij hard met zijn voorhoofd op de stenen vloer klapte en het overal donker werd was: *ze hebben me in de rug geschoten, de klootzakken.*

9

Toen Jay bijkwam keken drie paar ogen hem nieuwsgierig aan. Hij herkende ze niet meteen. Hij was zo diep weg geweest. Hij lag op een leren bank in een kamer die geen witte muren had. Bruin behang met een gouden motief. Heel anders dan de kille, witte kamers en gangen die hij inmiddels zo gewend was. Daarom duurde het even voor hij de drie kinderen herkende die hem aankeken. Ze waren zo geheel buiten context. Ze zaten in leren fauteuils, er lag tapijt op de vloer en een mooie, eikenhouten kast stond tegen de muur met gedroogde bloemen erop in een vaas.

Jay verbaasde zich dat hij al deze details zo scherp in zich opnam. Ook de kinderen zag hij ongewoon scherp. Een krullenbol met een bril die zo gretig was als een hond die denkt dat hij uitgelaten gaat worden. Daarnaast een jongen met een honkbalpet. Hij had zijn armen over elkaar en keek stoer, iets te stoer, alsof hij er hard zijn best voor deed. En daarnaast een meisje in het wit dat... dat... Jay herkende ze. Rachels ogen brachten hem onmiddellijk terug bij deze dag en alles wat er gebeurd was.

'En, is er iemand? Heb je iets gezien?' vroeg Tobias. 'Hoe ziet hij eruit? Wat is het?'

'Hallo,' zei Jay en hij ging rechtovereind zitten. 'Hoe lang ben ik...'

'*Forever*, man,' zei Stein. 'We dachten dat je nooit meer wakker zou worden.'

'Tweeëntwintig minuten,' zei Tobias. 'We mochten je niet wekken.'

'Zij wilde nog je pols in een bakje water leggen.' Stein gaf een minieme knik naar links, waar Rachel zat. 'Maar dat mocht niet van ze. Ze horen alles.'

Jay keek naar Rachel. Gewoon om haar te zien. Zij had een grote behoefte om armleuningen te bestuderen.

'Vertel dan,' zei Tobias. 'Wat is het? Is het een... een glits?'

'Oké, oké. En ja, ik was bij hem.'

Zo goed en zo kwaad als het ging vertelde Jay wat er gebeurd was. Normaal hield hij van alles achter als hij iets moest vertellen. Alsof hij een ophaalbrug omhoog had. Maar dit keer was de brug neer en liet hij alles eruit vloeien als water uit de kraan. Hoe heerlijk was het om niets achter te houden. Om alles te geven. Want dan kon je natuurlijk begrepen worden...

'Het waarheidsserum heeft in ieder geval effect,' zei Maas.

Vic knikte en gebruikte een joystick om het beeld te veranderen. Hij zoomde in op Jays gezicht.

'Hoe hij eruitziet? Ja, het is echt moeilijk te zeggen. Alsof hij van glas is, vloeibaar glas. Ja, dat is het, want je kijkt bijna door hem heen en tegelijk vloeit hij en ook voelt hij breekbaar aan. Het is moeilijk te zeggen, het ging ook zo snel.'

'Wie is het dan? Waar komt hij vandaan?'

'Wat wil hij?'

'Hoe is hij dan?'

De laatste vraag was van Rachel en het was het eerste wat ze gezegd had.

'Ik weet niet waarvandaan, en ik weet ook niet wat hij wil. Maar hoe hij is?' Jay keek ze een voor een aan. 'Het is onbeschrijfelijk. Je gelooft in hem. Je wilt hem beschermen. Je wilt naar hem luisteren. Hadden jullie dat niet ook al toen we hem hoorden?'

Tobias knikte, Stein haalde zijn schouders op en alle aandacht ging vervolgens naar Rachel. Zij moest natuurlijk ook iets van een antwoord geven, een signaal, een goedkeuring, hoe subtiel ook. Die kwam niet. Integendeel.

'Wat ben jij gestoord zeg. Wat zie jij ze vliegen. Je hebt alles verzonnen. Je bent gewoon verdwaald, hebt rondjes gelopen en nu dit. Heb je vaker last van epilepsie of zo?'

Jay begon zijn ophaalbrug op te halen. Wat het ook was dat ervoor gezorgd had dat die was neergelaten over de kloof die hem normaal van anderen scheidde, het was nu uitgewerkt of simpelweg niet meer opgewassen tegen de krachten die hier in het spel kwamen. Maar net voor de brug geluidloos dichtklapte floepte er nog een opmerking uit.

'Waar ben jij bang voor?'

Rachel ontplofte, zette haar Dr. Martens nog een keer onzacht tegen Jays scheenbeen aan en stormde de kamer uit, maar niet zonder eerst Jays vocabulaire van scheldwoorden aanzienlijk uitgebreid te hebben. Vooral Piklul was iets waar hij zelf nooit op zou zijn gekomen. Jay was echter te druk bezig met over zijn scheen wrijven om echt veel dankbaarheid te uiten voor deze verrijking.

Bij het een-op-eengesprek met Maas kwam de ophaalbrug niet meer neer. Hij vond het niet erg om antwoorden te geven, maar juist omdat het hem allemaal koud liet, waren het eigenlijk geen antwoorden.

'Hoe ben je in de cel gekomen?'

'Wat ik zei, steeds kleiner wordende gangen.'

'Maar dat is nonsens, jongen, dat begrijp je zelf toch ook wel.'

Jay haalde zijn schouders op. *Whatever.*

'Wat voelde je toen je in zijn buurt kwam, viel je flauw?'

Wacht even. Dat was hij vergeten. Ze hadden hem toch in zijn rug geschoten?

'Dat hadden jullie toch gedaan, met zo'n verdovingspijl of zo...'

Maas schudde zijn hoofd. 'Dat soort dingen doen wij niet. Wij staan aan jouw kant, weet je nog? Maar je viel, het leek wel alsof je flauwviel, kwam dat door hem? Wil je het terugzien?'

Dit had Jay niet verwacht. Het rommelde achter zijn ophaalbrug. Terugzien? Hij knikte. Dat wilde hij wel.

'Waar kwam je toch vandaan?'

Maas bleef het herhalen. Ze zagen duidelijk dat het ene moment de kamer afgezien van de figuur op de stoel leeg was, er trokken wat strepen over het beeld en ineens stond hij daar dan met een voet naar voren. Hij bleef zijn voet naar voren houden.

'Wat doe je daar?'

'Ik schuif mijn voet naar voren.'

'Dat zie ik ook wel.'

'Nou, waarom vraag je het dan?'

Maas' blik verhardde. 'Omdat ik niet weet waarom je dat doet.'

Jay snoof. 'Om verder te komen.'

'Waarom zo'n klein stapje?'

'Het was genoeg.'

'Het was genoeg?'

Jay schoof op zijn stoel. 'Je ging toch laten zien wat er verder gebeurde...'

'Rustig aan. Stapje voor stapje,' zei Maas.

'O, je begrijpt het toch?'

Maas zuchtte. Hij had minder moeite met het ondervragen van geharde criminelen dan van deze tiener.

'Jay, we gaan niet verder kijken tot ik een antwoord heb over hoe je die cel in kwam.'

'Dat weet je nu.'

'O?'

'Ja, je zegt het net zelf.'

'Nou, laten we het dan nog een keer uit jouw mond horen. Hoe kwam je de cel in?'

'Stapje voor stapje.'

Jay hield de blik van de man vast en even dacht hij dat die zou uitbarsten... in woede of in lachen misschien, het viel niet te zeggen. Het was of er een schaduw over zijn gezicht trok, even was alles mogelijk, maar daarna kreeg de man weer controle over zijn gezicht en stond het zo strak als een V-snaar.

Het gebeurde snel maar toch pikte Jay het op. Zien wat andere mensen denken of voelen was normaal niet zijn sterkste punt maar nu ging het als vanzelf. Je zag het en je wist het. Je hoefde er niet eens over na te denken. Misschien had hij toch een deel van zijn ophaalbrug openstaan. Niet veel, maar precies genoeg om te weten wat er in anderen omging en dat maakte hem juist sterker.

'En waarom praat hij zo raar, dat geluid?'

'Ik vind het niet raar.'

Een uur later zat Jay in de auto naar huis. Hij staarde naar buiten zonder iets te zeggen, zoals hij zo vaak deed. En ook keek hij naar de andere auto's. Alleen vroeg hij zich niet af hoe zijn leven zou zijn als hij daar in zat. Hij keek gewoon.

10

Die maandag op school stond Jays ophaalbrug nog altijd op die kier. Daardoor had hij voor hij het wist vriendelijk geknikt naar Plaat en meteen had hij gezelschap op weg naar biologie. Hij moest oppassen met die kier.

'Hoe was je weekend?'

'Gewoon,' zei Jay en hij kon een glimlach maar net onderdrukken. Van alle woorden in het woordenboek om zijn weekend te omschrijven was 'gewoon' echt het allerminst van toepassing.

'Heb je *Weekend Miljonairs* gezien? Ik had het geweten, die laatste vraag.'

'Ik heb het niet gezien.'

'Nou, het ging om het standbeeld *Venus van Milo*. De vraag was waar die Milo voor stond.' Ze kwamen aan bij het lokaal en bleven op veilige afstand van de anderen staan. Het lokaal was nog niet geopend. Plaat zette zijn tas neer en praatte in één moeite door...

'Nou, je kon gewoon aanvoelen dat het niet de maker was. Maar die man belde een vriend en...'

'Je kon het aanvoelen?'

'Ja,' zei Plaat.

'Waarmee voel je dat dan aan?'

'Wat... Wat bedoel je?'

'Dat aanvoelen, waarmee doe je dat?'

'Eh...'

Meneer Kaspo, de wiskundeleraar, kwam van de andere kant aanlopen en deed de deur open. De scholieren gingen naar binnen.

Plaat pakte zijn tas op. 'Gewoon, je weet wel.'

'Nee, daarom vraag ik het.'

'Nou, hiermee.' Plaat knipoogde, wees op zijn voorhoofd en liep het lokaal in.

Jay bleef staan.

'Als zelfs Plaat je gestoord vindt is het erger dan ik dacht.'

Jay draaide zich om. Heino stond nog geen meter achter hem.

'Maar eerlijk gezegd, zie ik wel wat hij bedoelt.' Heino liep door en zorgde ervoor dat hij daarbij tegen Jay aan liep. Jay leunde met een hand tegen de muur om niet om te vallen.

'Jij ook goedemorgen,' riep hij Heino na.

Die keek nog om voordat hij in het lokaal verdween en even leek het of hij iets terug ging zeggen. Maar dat gebeurde niet. Hij hield in om te kijken en stapte toen de deur door.

Jay had het laatste woord. Dat had iets. Hoe kinderachtig ook, het voelde als iets dat hij bereikt had. En het bleef niet bij het laatste woord. Toen Jay met een zweem van een glimlach door de klas naar achteren liep stak Heino zijn been uit. Nu was er niets mis met Heino's timing, maar toch zag Jay het gebeuren alsof het al een herhaling in slow motion was. Hij had daarom alle tijd om een flinke schop tegen het been te geven. Het geluid dat volgde zou op *Animal Planet* niet hebben misstaan.

Meneer Kaspo keek op. 'Zei je iets, Heino?'

Iedereen keek nieuwsgierig zijn kant op, inclusief Jay.

Heino schudde zijn hoofd.

Jay liep door. Hij wist wel dat hij het terug zou krijgen, maar op dit moment kon hem dat niets schelen. Normaal kon het hem eigenlijk ook niets schelen, maar dit was een heel ander niet-schelen. Dat voelde hij aan. En niet met zijn voorhoofd.

Joop van Zanden stond buiten de cel. Het geluid van het wezen was door de deur heen te horen. Hartverscheurend vond Joop het. En vreemd genoeg kon hij niet zeggen of het hartverscheurend mooi was of hartverscheurend verdrietig. Hij zou Ger moeten halen, die zou daar wel tussen kunnen kiezen. Want het moest natuurlijk één van die twee zijn, allebei kon niet. Dat hoorde niet. Ger zou het wel weten.

Het moet gezegd worden, toen ze Jay pakten, deden ze het ook goed. In de pauze gingen Heino en Maarten naar de Albert Heijn om naast de gebruikelijke chips en Red Bull een dozijn eieren te kopen. Op weg terug naar school zagen ze de eigenaar van de Surinaamse broodjeszaak op het punt staan een hele tray eieren in een afvalzak te gooien. Hij wilde ze echter niet aan de jongens meegeven. 'Ze zijn rot, jongens. Daar worden jullie ziek van.'

Hij liet de jongens even in de afvalzak ruiken waar inderdaad de paar eieren die er al in lagen een verontrustende geur afgaven. Uiteindelijk ruilden ze de twaalf AH-eieren voor drieëndertig stuks van het verdachte type en lieten de man achter met de belofte dat ze ze zeker niet zouden opeten. 'Het is voor school,' zei Heino nog.

De pauze was alweer bijna voorbij en de jongens wilden er niet een haastklus van maken. Daarom verdeelden ze de eieren heel voorzichtig over hun kluisjes. Maarten was niet voorzichtig genoeg en de rest van dat schooljaar zouden de boeken die hij daarin bewaarde niet alleen naar zweetsokken ruiken, maar ook naar iets dat onder de grond gestopt was en zelf weer naar boven gekropen. En het volgend schooljaar zou de conciërge het kluisje in december openbreken omdat de onbestemde geur die door de gangen van de school trok uiteindelijk getraceerd was tot dit in onbruik geraakte kluisje 231.

Maar zover was het die dag nog niet.

Heino en Maarten spraken Devrin Weiss en Ido Kramer uit 3A aan.

Tijdens hun scheikundeles vertelden die het weer aan drie anderen. 3A had daarna een tussenuur waardoor het bericht vrij spel kreeg in de school en via sms ook op twee naburige scholen. Omdat maar al te veel scholieren hun dag doorkomen met hun snoozeknop gedeeltelijk ingedrukt, werd het bericht gezien als een welkome afwisseling van het overbekende ritme van het middelbareschoolbestaan en niet als iets schokkends. Dit wilde je gewoon niet missen. Na het zesde uur, fietsenstalling. Sommigen wisten niet eens wat er ging gebeuren, alleen dat je erbij moest zijn.

Dichter bij de bron van het bericht gingen de voorbereidingen ook door. Jeannette Kranendonk werd benaderd en zei haar medewerking toe. Haar taak was Jay vijf minuten op te houden na de laatste bel zodat de anderen de gelegenheid hadden om de ammunitie te verdelen en hun posities in te nemen. Wat kon er misgaan?

De actie zou net buiten het schoolterrein plaatsvinden zodat het voor de leiding moeilijk zou zijn om formele sancties op te leggen. En als er meerdere mensen zouden gooien zou het nog moeilijker worden om iemand te straffen. Nogmaals, wat kon er misgaan?

Jay genoot. Dat moest hij toegeven. Jeannette liep naast hem, vroeg hem dingen en hield haar hoofd schuin als hij antwoord gaf. Ze speelde zelfs met haar haar. Op hoeversierjeeenmeisje.nl had hij gelezen dat dat een teken was om een versnelling hoger te gaan. Hij kon zich alleen niet herinneren wat die hogere versnelling ook alweer inhield dus bleef hij maar gewoon naar haar luisteren.

Er viel een stilte en zij keek op haar horloge. Dat was een heel ander soort teken, daar had hij geen website voor nodig.

'Weet je, toen ik je laatst zo raar aankeek...'

'Ja?' Nu keek zij hem raar aan. Hij had er niet over moeten beginnen, maar nu kon hij niet meer terug.

'Dat was omdat je toevallig precies dezelfde woorden zei die ik de avond ervoor in een remix gebruikt had. Dus ik schrok. Zo van, hoe kan dat? Daarom keek ik zo debiel.' Hij lachte schamper.

Wat gebeurde er toch allemaal? Het moest niet gekker worden... Hij stond met een meisje te praten over zijn muziek, met zijn ophaalbrug halfopen en hij lachte om zichzelf.

Het kon nog gekker. Ze lachte terug.

'Ik kan het me herinneren. Dat was inderdaad een rare blik.'

'Ja, iemand had via internet ingebroken en dat nummer van mijn laptop gejat.'

'Echt waar?'

Jay knikte. 'Vandaar dat toen ik jou een regel hoorde zeggen...'

'O.' Ze lachte weer. 'Wat zei ik dan?'

'Mag ik een potlood...'

'Zit dat in jouw liedje?'

'Liedje... ik zeg liever remix.'

'Zing eens een stukje.'

'Nee, dat kan ik niet.'

'Ach joh, ik zal niet lachen.'

'Nee, het is niet iets dat kan zonder de beat en...'

'Oké, alleen de tekst dan.'

Jay keek om zich heen. Ze liepen in een lege gang. Zijn ophaalbrug protesteerde. Het was spannend om het te delen met iemand. Het was ook compleet antisnooze, de snoozeknop ging helemaal uit.

Hij stond stil, zij ook, en hij begon. Algauw ging hij het ook in het ritme opdreunen.

Toen hij helemaal klaar was zwegen ze allebei.

Hij wilde weten wat ze ervan vond, maar ook niet. Het was al een hele ervaring om het eruit te laten. Moest hij dat nog complexer maken door naar haar mening te vragen?

'Het heeft wat,' zei ze uit zichzelf. 'Maar het is somber. Lood in plaats van goud.'

'Ja. Waarom moet alles blinken? Heb je weleens een plaat lood aangeraakt? Je hand erover laten glijden? Het is zacht en zwaar, het is sterk en buigzaam. Het is er... het is echt. Goud vind ik zo...'

'Ik moet gaan,' onderbrak ze hem. Ze keek op haar horloge. 'Sorry, en... eh bedankt.' Ze liep de gang weer in.

'Maar de uitgang is...' Jay wees de andere kant op.

'Ik moet nog terug. Doei.'

Jay keek haar na. Ze stopte na tien meter alsof ze ergens over twijfelde. Ze keek ook even achterom, zag dat hij nog stond te kijken en liep abrupt door. Jay hees zijn rugzak nog eens goed op zijn schouder. Mensen konden ook wonderlijke wezens zijn.

Hij liep verder op het ritme van zijn nummer, maar dan met een vrolijke tred. Een brugklasser gaf hem een vreemde blik. Jay glimlachte naar hem. Wonderlijk. Het werd echt een wonderlijke dag. Hij liep de deuren door de zon in.

Het had te lang geduurd. Vijf minuten kan een kleine menigte nog wel wachten met eieren in de hand, maar als het langer wordt... Toen Jay na twaalf minuten de deur door kwam waren er veel meer gretige handen dan eieren beschikbaar. Voorbijgaande fietsers, geparkeerde auto's en een vrouw die haar terriër uitliet hadden de voorraad al doen slinken.

Was Jay twee minuten eerder naar buiten gestapt had hij het woedende geblaf van de terriër nog kunnen horen. Al is het maar de vraag of dat hem gewaarschuwd zou hebben. In die twaalf minuten was bij de kleine menigte in ieder geval alle voorzichtigheid en beleid, voor zover al aanwezig, volledig opgebruikt. Het was een kruitvat geworden met een brandende lont eraan, het enige wat het nog zocht was een richting om in te ontploffen. En op dat moment stapte Jay het zonlicht in.

Zo kon het gebeuren dat er veel meer dan alleen maar eieren door de lucht vlogen. Stenen, stukken hout, een stinkbom, een kapotte fietsentrapper, een knikker en zelfs een muntje van vijftig cent.

Minder dan vijf procent van de geworpen items trof doel. Daarbij moet gezegd worden dat het feit dat Jay een van de eerste stenen vlak boven zijn oor kreeg en vervolgens als een zoutpilaar ineenzakte daar debet aan was. Veel projectielen suisden door de lucht waar hij vlak daarvoor nog gewoon was geweest. Was hij blijven staan, in plaats van bloedend op de grond het bewustzijn te verliezen, dan was het percentage beduidend hoger geweest. Misschien wel verdubbeld.

Eén volwassene had het gebeuren gadegeslagen. Vanuit zijn Skoda die hij vlak bij de fietsenstalling geparkeerd had keek Joris Kok zijn ogen uit. Het was nog niet zo heel lang geleden dat hij zelf scholier was geweest. Hij was net twee jaar van de journalistenopleiding in Zwolle af. Hij wist echt wel dat soms iemand gewoon gepakt wordt, met of zonder reden. Maar dit sloeg alles.

Joris sprong uit zijn auto en rende brullend op Jay af. Om hem heen pakten scholieren hun fiets of renden weg. Niet iedereen. Maarten en Heino renden ook naar Jay toe. Joris sprintte ze voorbij en knielde bij de bloedende jongen.

'Wat hebben jullie gedaan? Waarom?'

Niemand zei iets.

Joris depte met zijn zakdoek tegen de wond boven Jays rechteroor. Het bloedde door zijn haren heen, waardoor het bloed er eerder zwart uitzag dan rood. 'Hoe heet hij?' vroeg Joris, terwijl hij Jay kleine klapjes op zijn wangen gaf.

'Bonobo,' zei Heino.

'Nee, eh... Jay,' zei Maarten.

'Jay, hoor je me? Jay?'

Iemand had de conciërge gewaarschuwd. 'O, o, wat nu weer,' zei ze terwijl ze kwam aangehold.

11

Het jongetje kwam steeds vaker aan Jays bed staan.

Op zijn hoofd had het jongetje een dikke pleister. Dat was zeker waar de chirurgen naar binnen waren gegaan om iets te veranderen aan zijn hersenen of zo. Hoe het precies zat wist Jay niet. Het jongetje zei geen woord.

En wat de volwassenen tegen Jay zeiden verstond hij niet. De woorden waren te saai, waardoor zijn hoofd gewoon in de snoozestand schoot en hij alles heerlijk over zich heen liet gaan zonder zich erom te bekommeren.

Soms zei hij wel iets tegen ze, maar dan keken de mensen hem aan alsof hij degene was die raar praatte, en in plaats van dat ze dan lekker in de snoozestand gingen, gingen ze moeilijk kijken en ingewikkeld doen. Jay probeerde ze dan het advies te geven om er vooral van te genieten, maar na een tijdje hield hij daar ook mee op. Het was bijna alsof ze het woord genieten niet kenden.

Het jongetje had dat probleem niet. Hij was misschien acht of negen en droeg vandaag een Spiderman T-shirt. Hij glimlachte nooit, maar was wel tevreden met hoe de dingen waren. Hij probeerde in ieder geval niet iets te veranderen. Hij kwam op de stoel naast Jays bed zitten en las comics of maakte tekeningen van een reuzensamoerai met allemaal kleine mensen eromheen. Of de samoerai ze beschermde of juist wilde vernietigen hing van de dag af. Steeds dezelfde tekening, maar soms waren de mensen bang, en soms blij met de samoerai.

Na een paar dagen kon Jay al redelijk van tevoren voorspellen wat het worden zou. Vandaag was een bange dag.

Dan werd de samoerai met meer wapens uitgerust, kreeg hij een grotere snor en had dan zijn vuist al op het handvat van zijn zwaard. Het jongetje liet de tekeningen achter in de lade van het bedkastje. Een verpleegster had er een keer een opgehangen maar dat wilde het jongetje niet. Alsof hij niet herinnerd wilde worden aan de dag van gisteren.

Dit zou de zevende tekening worden in de la. Dus Jay was hier al een week.

Jays moeder kwam elke dag, soms met een jongeman die hij niet kende. De man schreef allerlei dingen op ook al was hij duidelijk geen dokter. Er waren drie kinderen uit zijn klas geweest. Die hadden zich uiterst ongemakkelijk gevoeld, en wat Jay ook zei, hij kon ze niet op hun gemak stellen.

Eigenlijk hoefde dat ook niet. Hij kon prima bij mensen zijn die niet op hun gemak waren. Dat waren de meeste mensen die hij trof tenslotte. Alleen het meisje dat erbij was, die voelde zich zo belabberd, en om een of andere reden wilde hij dat toch veranderen.

Niet heel erg, niet zozeer dat het zijn snooze beïnvloedde, maar hij nam wel de moeite om te spreken. Dat werd echter weer een bevestiging van wat hij al wist. Met praten bereik je niemand.

De samoerai was vandaag groter dan ooit. Zijn rok kreeg felle kleuren en zijn hoofd kwam tegen een wolk aan. Het jongetje kreeg echter niet de tijd om de mensen erbij te tekenen omdat twee mannen de kamer in kwamen en iets saais zeiden. Het jongetje stopte met tekenen en verliet de kamer. Dit klopte niet volgens Jay. De bange mensen moesten er nog bij, want zo'n dag was het. Maar het jongetje kwam niet terug. Jay riep hem wel, maar had dat net zo goed niet kunnen doen. De man met het gezicht als een aardappel deed meteen de deur dicht en bleef daar staan. Jay wist dat hij wist wie die twee mannen waren, maar hij wilde niet bezig zijn met hen, hij wilde ze niet kennen, dus kende hij ze ook niet.

De andere, een lange man in een keurig jasje, pakte een stoel en ging ter hoogte van Jays hoofdeinde zitten. Hij begon saaie woorden te spreken. Jay voelde zich alsof hij in bad lag. De trage, nietszeggende saaiheid van de man stroomde om hem heen als warm water. Het voelde alsof hij zijn hoofd onder water had. Alleen zijn lippen en neus staken eruit om adem te halen. Jays oren namen nog wel iets aan klanken waar, het was op zijn best een amusant geluid en op zijn slechtst ondraaglijke tijdverspilling.

Zelfs toen de man opstond en knikte naar de man bij de deur leek het alsof zij opzettelijk vaag en waterig deden. Veel te saai om iets mee te beginnen.

De deur ging open en drie kinderen kwamen erdoorheen. Jay herkende ze meteen.

'Wat doen jullie hier?'

'Jou bezoeken natuurlijk,' zei Tobias.

'Of we het wilden of niet,' zei Stein.

Rachel zei niets. Ze had een netje mandarijnen bij zich dat ze met het uiterste puntje van haar nagel omhooghield en legde het op de onaffe samoeraitekening.

'Nieuw tijdverdrijf?' vroeg ze met net voldoende spot in haar stem. Want er moest wel overal mee gespot worden. Zelfs aan een ziekenhuisbed.

'Nee, die zijn van mijn buurjongen.'

'Wat is er precies gebeurd?' wilde Tobias weten.

'Een steen,' zei Jay.

'Ze zeggen dat je nu raar praat.' Tobias kreeg een schop van Stein, maar ging gewoon verder. 'Maar ik merk er niets van, hoor.'

'Wie zeggen dat?'

'Die twee, weet je wel.' Stein wees naar de deur. 'Joop en meneer Maas.'

'Die praten zelf raar.'

Hier moesten ze allemaal om lachen. Er viel even een stilte en toen vroeg Jay het.

'Hoe is het met hem?'

'Met de glits?' vroeg Tobias.

'Noemen jullie hem nu zo?'

Stein grijnsde. 'Het is wel toepasselijk.'

'Hebben jullie hem gezien?' vroeg Jay gretig.

Automatisch deden de anderen een stapje dichterbij, zelfs Rachel kwam op een enigszins intieme afstand staan. Stein maakte van die nabijheid gebruik om een mandarijn te pakken.

'Allemaal,' zei Stein.

'En hoe was het?'

'Bijzonder,' zei Stein. Tobias knikte. Rachel deed niets.

'En jij?' vroeg Jay haar.

'Ik ben weggerend. Maar het stomme is dat ik hem juist wel mocht. Heel erg. Maar ze laten me niet teruggaan.'

Even was iedereen in gedachten verzonken.

'Hij snapt dat wel, denk ik,' zei Tobias. 'Hij...'

'Dat weet ik wel, daar gaat het niet om. Ik wil hem gewoon zien, ik heb al gedreigd het aan een krant te vertellen.'

Stein zoog lucht langs zijn tanden naar binnen. Jay en Tobias keken haar ook geschokt aan. Ze hadden een contract moeten tekenen met een geheimhoudingsplicht erin. Maas had ze in zo veel mogelijk detail voorgehouden wat het zou betekenen als ze zich daar niet aan hielden. Ontslag en financieel faillissement voor hun ouders. Het was niet voor niets dat alle vier hun ouders voor de overheid werkten. Ze zouden geen leven meer hebben, had Maas benadrukt, echt geen leven meer.

Dus de krant was een taboewoord. En als Rachel daarmee gedreigd had, was dat zeker aangekomen.

'Wat zeiden ze?' vroeg Jay.

Rachel begon aan een nagel te pulken. 'Hij zou verdwijnen,' haar onderlip trilde, 'en ze zouden ontkennen dat hij ooit bestaan had.'

Ze voelden allemaal hetzelfde. Dat mocht nooit, nooit, nooit gebeuren.

'Bij mij waren het de ogen,' vertelde Stein. 'Heel groot, en ze leken wel melkkleurig, of nee, parelkleurig, ja, dat was het.'

'Wauw, dat had ik niet,' zei Jay. 'Bij mij was het zijn huid, het leek wel op ijs van een bevroren sloot, weet je wel, maar dan warm en in beweging. Vloeibaar bijna, maar als je naar één punt keek stond het stil. Ik kon erdoorheen kijken, ik kon hem helemaal...'

'Dat had ik ook.' Tobias kon zich niet meer bedwingen. 'Hij was er helemaal voor mij. Helemaal.'

'Weet je wat raar is,' zei Stein, 'dat ik me niet jaloers voel als je dat zegt. Meestal wil ik dingen verstoppen zodat mijn broers het niet ook hebben, maar bij hem wil ik juist delen. Hij is net zo goed van jullie.'

'En jij dan, Rachel?' Jay draaide in zijn bed. 'Ben jij ook niet jaloers?'

Even keek ze weg – omhoog, waar alleen een rookmelder op het plafond zat. 'Nee, of wel. Ik... ik snap ook niet waarom ik wegrende. Ergens vond ik het allemaal nep. Maar ook... er begon iets in me te gillen. Dit kun je niet. Dit kun je niet. Maar dan vreselijk. Alsof er iets in me zat dat helemaal gek werd van de pijn of van iets anders.' Ze stopte.

'Jezus, dat klinkt raar. Maar wat ik bedoel is, het is niet makkelijk voor mij, zoals bij jullie. Maar ik wil wel, snap je, ik moet zelfs.'

'Het is niet te geloven,' riep Maas. 'Nu praten ze allemaal onderwatervIools. Het is een epidemie!'

Hij zat twee kamers verder met een koptelefoon op naar een scherm te kijken. Joop stond bij de deur en keek over zijn schouder mee.

‘Dat meisje keek in de camera. Misschien doen ze het erom,’ zei Joop.

‘Verdomme. Wat moeten we met deze toestand? Moeten we nu weer een kind uit de controlegroep binnenhalen om deze kinderen te vertalen? Wanneer houdt het op?’

Joris Kok, de journalist van *de Vrije Media* die vanuit zijn Skoda de steniging had gezien, had een artikel geschreven over het voorval. Nu wilde hij Jay het laten lezen, zodat die dat niet gewoon in de krant zou tegenkomen. Dat vond hij correct. En ergens was hij ook nog niet klaar met het verhaal. Hij had het idee dat hij tot die jongen zou kunnen doordringen, misschien als de moeder er niet bij was. En die wartaal, die rare klanken, die hielden hem wakker ’s nachts. Daar moest hij nog wat mee. Dus kwam hij nu eens buiten de bezoekuren om ‘even langs’ bij Jay.

Toen hij zachtjes, voor het geval Jay sliep, de deur opende hoorde hij het viertal praten in en om Jays bed.

Allereerst twijfelde hij aan zijn verstand. Had hij zo weinig geslapen dat hij dingen begon te horen? Maar om zo in de war te zijn dat hij vier tieners in deze klanken hoorde spreken? Hij bleef staan luisteren.

Het klonk mooi, van een andere wereld. Het voelde ook heel erg als iets waar hij te groot en lomp voor was, en dat op zijn vierentwintigste. Zachtjes sloot hij de deur weer en bleef staan. Even niet meer zeker van wat hij nu moest gaan doen.

Al snel kreeg hij hulp. Joop pakte hem bij zijn schouder.

‘Het is geen bezoekuur. Wat doet u hier?’

‘Ik eh… Ik was in de buurt en ik dacht…’

‘Wie bent u?’

‘Een vriend van zijn moeder,’ zei Joris en daarmee loog hij niet eens. Hij was al twee keer samen met de moeder op bezoek geweest.

'Oké.' Joop liet los. 'Sorry, maar u kunt er nu niet in. Komt u vanmiddag om twee uur terug.'

'Natuurlijk, prima. Slaapt hij of bent u met iets bezig?'

'Hij slaapt,' zei Joop.

'O, en u bent?'

'Van beveiliging.'

Tegenover de uitgang van het ziekenhuis was een bankje. Daarop ging Joris zitten en hij sloeg zijn krant open. Hij had het artikel 'Steniging leidt tot klanktaal' voor zich, maar las geen woord. Niet dat zijn eigen woorden hem tegenstonden, hij had al zijn aandacht nodig om de draaideuren in de gaten te houden. Of hij de jongens zou herkennen als ze naar buiten kwamen wist hij niet, maar het meisje had alleen maar witte kleren aangehad, met felblauwe schoenen. Hij moest goed opletten want regelmatig kwam een verpleegster in het wit de deuren door, maar nog niemand met die stappers eronder.

Een voor een verlieten de kinderen het ziekenhuis, omdat ze nog een voor een bij Maas moesten komen om rapport uit te brengen. Ze hadden hun verhaal voorbereid en allemaal vertelden ze hetzelfde verhaal. Ze dachten dat Jay zo snel mogelijk de glits moest zien, dat was het enige wat zou helpen.

Jay lag met zijn handen achter zijn hoofd in zijn bed. Hij wachtte tot het jongetje zou komen om zijn tekening af te maken.

Ook was hij dat lekkere gevoel van het gesprek met zijn vieren aan het aftasten. Waar kwam dat vandaan? Waarom was het er nu? Hij keek naar de deur. Wachtte het jongetje tot het gevoel weg was of zo? Nou ja, dan wachtte hij maar. Want als ze één ding gemeen hadden, die jongen en hij, was het dat ze allebei tijd genoeg hadden, meer dan genoeg.

'Nog meer, Kok? Je hebt je artikel gehad,' riep Stef Goossens, hoofdredacteur van *de Vrije Media*. Hij bekeek vol achterdocht het blaadje dat Joris Kok voor hem had neergelegd.

'Ik weet dat het nog een beetje giswerk is, maar na dat meisje gesproken te hebben ben ik het ministerie gaan bellen. En elke keer dat ik ze bel krijg ik het gevoel dat...'

'Het gevoel, Kok? Waar betaal ik je voor... om iets te voelen?'

'Er is iets aan de hand, dat voel... dat weet ik gewoon. Volgens het meisje...'

Goossens pakte het blaadje op en deponeerde het in de prullenbak naast zijn bureau. 'Je hebt je artikel gehad over dat joch met zijn spraakgebrek. Nu is het klaar. Met sensatie mag je komen. Instortende gebouwen, instortende markten, desnoods de instortende maatschappij, maar het enige wat hier aan het instorten is, is jouw verstand en mijn vertrouwen in jou. Voor straf mag jij nu dat artikel over de tweede Coentunnel schrijven. Vort.'

'Maar...'

'Geen maar. Basta. Finito. Uit.'

Die middag kreeg Goossens een telefoontje van het ministerie van Binnenlandse Zaken. Een klacht dat er vervelende telefoontjes waren gemaakt namens zijn krant. Of dat afgelopen kon zijn. Want meneer Goossens zou ook niet willen dat de Belastingdienst alle declaraties van zijn afdeling met een kammetje door zou gaan, of wel soms? En zo'n ontzettende komkommertijd kon het ook weer niet zijn. Of hij zijn stagiairs in toom kon houden. Dan kon iedereen weer gewoon verder met zijn werk.

'Wel alle violen,' riep Goossens toen hij ophing en hij brulde vervolgens door de open deur: 'Kok, hier komen!'

Joris zat op zijn werkplek met een telefoon aan zijn oor. Hij merkte dat het over hem ging doordat zijn collega's hem allemaal aanstaarden. Weer werd er iets gebruld, weer verstond hij het niet. De starende blikken werden bezorgde blikken.

'Mevrouw, sorry, ik moet even weg. Ik bel u later terug.' Hij hing op.

Tegenover hem zat Sam Slootweg, ook wel stiekeme Sam genoemd, naar hem te knipogen. 'Ik weet niet wat je gedaan hebt, maar je hebt in ieder geval indruk gemaakt op de baas.'

Joris snapte het niet. Hij had toch al een uitbrander gehad en sindsdien had hij alleen aan het artikel over de tweede Coentunnel gewerkt. Wat kon er veranderd zijn?

'Doe de deur dicht.'

Dat beloofde weinig goeds. Goossens stond erom bekend zijn uitbranders met geopende deur te doen, dus dit was echt erg. Joris sloot de deur.

'Ik heb net een klacht van het ministerie gehad over jou. En weet één ding. In de drieëntwintig jaar dat ik voor deze krant werk is er nog nooit, nog nooit een klacht geweest, van welk ministerie dan ook. Dus...'

'Sorry,' stamelde Joris. 'Ik...'

'Sorry? Weet je wat dit betekent?'

'Ontslag?'

'Kok, kerel, het lijkt erop dat je daadwerkelijk iets op het spoor bent. Ze verbergen iets. Verdubbel je inspanningen. Rapporteer alleen aan mij.'

'Dat meent u niet.'

'Jezus, als jij niet eens het verschil merkt tussen wanneer je baas iets meent of niet, hoe moet het dan ooit in...'

'Nee, nee. Ik bedoel, dank u wel.'

'Nou, aan het werk dan.'

Bij de deur draaide Joris zich nog even om.

'En dat Coentunnel-artikel?'

'Geef dat maar aan Slootweg. Dat kan hij er wel bij doen.'

Joop liep door de witte gangen. Alleen. Hij was al drie keer bij hem geweest. Hij wist dat Maas ook af en toe ging. Onder het mom van alles in de gaten houden. Het was zo anders als je alleen met hem was. Ontroerend bijna. Niet dat hij vochtige ogen kreeg of zo. Joop had sinds zijn jeugd geen traan meer gelaten. Niet één keer. Niet toen Marie bij hem wegging. Niet toen zijn vader overleed, zelfs niet toen zijn trouwe hond Mups door Len de Jever was gegijzeld en doodgeschoten. Geen traan.

De jongens hadden toen wel geregeld dat hij in het arrestatieteam zat toen De Jever twee maanden later binnengebracht werd. Maar wraak deed hem ook niet zoveel.

Dit mannetje deed hem wel wat. Vanaf het moment dat ze hem in de Veluwe uit de bosjes geplukt hadden, had Joop zich min of meer verantwoordelijk gevoeld voor het mannetje. Eerst minder, nu meer. Eerst leek het gewoon een mafkees, nu wist iedereen dat het een heel ongewone was, dat mannetje van hem. Nee, vochtige ogen kreeg hij niet, maar wel iets anders wat hij ook al heel lang niet had gehad. Hij kreeg zin om iets of iemand aan te raken, te aaien zelfs. Daarom wilde hij het mannetje voorleggen hoe het zou zijn als hij weer een hond nam. Hij had gezworen nooit een opvolger van Mups te nemen. Het maakte je kwetsbaar en dan moest je wraak nemen en het schoot al met al helemaal geen flikker op. Dus nooit meer een hond. Hij had het al zijn collega's verteld zodat hij zich er ook aan zou houden. Maar nu… hij kon in ieder geval het idee even tegen het mannetje aan houden. Die zei wel niets, maar hij hoefde ook geen advies. Hij wilde even weten hoe het was om het hardop te zeggen tegen iemand die precies wist wat je bedoelde.

Joop kwam bij de deur aan. De man op wacht grijnsde. Die hield er een slof peuken aan over.

'Nummertje trekken, Joop.'

'Wat?'

'Kom over een halfuurtje weer.'

'Wie is er binnen dan?'

'Joop, geloof me, dat wil je niet weten.'

Jay mocht naar huis. Zoveel was wel duidelijk. Zijn moeder was met die jongeman hier.

Ze had kleren voor hem mee. De verpleegster had zijn bed afgehaald toen hij even naar de wc was. Er leek niets anders op te zitten.

Hij wilde het jongetje nog een keer zien.

Jay liep naar de kamers bij hem in de buurt. Allerlei bedden met allerlei kinderen. Maar niet het jongetje. Hij toonde de tekeningen aan de verpleegster en vroeg naar de maker ervan. Hij hield zijn hand iets boven heuphoogte om aan te geven hoe groot degene was die hij zocht. Onbegrip alom. De paniek die hij voelde zag hij terug in de ogen van de verpleging. Was er iets gebeurd? Had het jongetje het niet gehaald? Of was hij al naar huis? Zonder afscheid te nemen?

In de Skoda van de behulpzame jongeman bekeek Jay de tekeningen. Die ene was nooit afgemaakt. Terwijl de samoerai echt grandioos was. De mooiste van allemaal. Wat wenste hij dat het het jongetje goed zou gaan. Hij was op zo'n kwetsbare leeftijd. Dat wist Jay als geen ander.

12

Harold Klein en Jean Maas konden het prima oneens zijn met elkaar. Dan verzamelden ze rustig de feiten waarover ze het wel eens waren en gingen kijken naar hoe hun interpretaties uiteenliepen. Zo deden ze het al op de universiteit. Het was een helder proces en er kwam hoe dan ook een beslissing uit. Die was dan definitief en niemand had het er nog over.

Dat werkte niet meer. Ze stonden ieder aan één kant van het bureau in Kleins kamer met verhitte gezichten en heel strakke kaaklijnen. Tussen hen in lag een exemplaar van *de Vrije Media*.

'Het staat in de krant. Dan is het over. Over en uit.'

'Harold, dit artikel heeft niets met hem te maken.'

'Waarom belt die journalist dan hierheen?'

'Dat doet hij al niet meer, dat hebben we stopgezet.'

'Dat bedoel ik. Normaal zou je nooit een krant bellen en dreigen. Wat is dat voor amateuristisch gedoe? Dat is een beginnersfout, Jean. Je bent je greep aan het verliezen. Wat is er toch met jou?'

'Harold, ik...'

'Dat ding heeft je soft gemaakt, man. Dat kan niet in ons werk.'

'Het is geen ding, jij begrijpt niet hoe...'

'Wat is het wel dan?'

'Dat weten we niet. De kinderen noemen het een glits, en eigenlijk is dat...'

'Een wat?'

'Dat is hun woord ervoor. Een verbastering van het Engelse glitch. Iets dat er niet hoort te zijn, maar wat er wel is en waar je heel blij mee bent. Komt in games voor of zo.'

'Jean, twee dingen. In ons vak zeg je geen "of zo". In ons vak weet je wat je zegt. En ten tweede, dingen die er niet horen te zijn, horen er niet te zijn en dus ben je er niet blij mee. Of sterker nog, of je blij bent of niet doet er niet toe. Ze horen er niet te zijn.'

'Ik weet niet meer of dat klopt, Harold. Ik begin steeds meer te denken dat hoe je je voelt er wel degelijk toe doet.'

'Lul niet. Hoe lang doen we dit werk al?'

'Dat is het hem juist. Jij weet net zo goed als ik dat ik geen privéleven heb. Ik woon in een hotel onder een andere naam, heb geen familie. En ook geen vrienden, begin ik te denken.'

'Een fucking duur hotel, Jean, met uitzicht op zee. Betalen wij voor je. En nou én, Jean? Zo hoort het ook in dit vak. Discussie gesloten. Opruimen dat ding. Als jij het niet doet zet ik Svensson erop.'

Maas zuchtte. Svensson stond bekend als de beul van Klein. Een enorme man met een gemeen litteken onder zijn oog die de vuilste klusjes opknapte en daar een sardonisch plezier uit haalde. Dan was alles zo voorbij.

Maas liep naar het raam dat uitkeek op een blinde muur. 'Jij ziet alles zo zwart-wit. Er bestaan ook kleuren weet je wel, een heel regenboogspectrum vol. Maar die zie je hiervandaan niet.'

'Jean, ik zie niet alles zwart-wit. Dingen zijn donkergrijs of lichtgrijs. Het gaat er niet om wie gelijk heeft. Het gaat erom wie gelijk krijgt. Dat weet jij net zo goed als ik. Het glibberding moet verdwijnen. Ruim het op.'

'Glits.'

'Wat?'

'Jij zei glibberding.'

'Verder nog iets?'

Maas wees op de krant. 'Wij zijn dat joch nog wat schuldig.'

'Sinds wanneer zijn wij iemand wat schuldig?'

'Volgens de anderen zou een ontmoeting met... met onze gast hem kunnen helpen.'

'Het is een loser, Jean. Die gepest wordt op school. Die vindt het nu even makkelijk om raar te praten. Hoeft-ie niet naar school. Dat trekt wel weer bij.'

'Wij hebben hem ermee in contact gebracht. En nu praat hij zoals... zoals...'

'Dat ding.'

'... dat ding.' Maas slikte en knikte met tegenzin. 'Dat ding.'

'En daarna ruim je het op?'

Maas bleef knikken, langzamer dan net, maar hij knikte wel.

De samoerai die niet af was hing aan de muur. Hij prijkte boven Jays synthesizer. Jay had al twee liedjes voor hem gespeeld met Japans klinkende kreten die niemand kon begrijpen, zelfs een Japanner niet. Voor Jay gingen de liedjes over met je hoofd in de wolken lopen. De samoerai dacht dat hij in de mist liep en daarom zong Jay voor hem, zodat hij zou weten dat je hoofd in de wolken iets anders is dan mist, ook al lijkt het op elkaar. Maar de samoerai was niet snel overtuigd, misschien omdat er verder niemand in de tekening was, het jongetje had de tekening niet afgemaakt. De samoerai was alleen.

Waren bange mensen erbij beter dan alleen zijn? Het was moeilijk te zeggen. Voorzichtig trok Jay het vel papier van de muur. Hij had de kleurpotloden van het jongetje nog. Zou die het erg vinden als Jay...

Jay nam de tekening en ging aan zijn bureau zitten. Met grote concentratie begon hij te tekenen. Hij maakte de mensen niet allemaal bang. Van alles wat. Elk mens weer anders. Alle kleuren van de regenboog. Hij gebruikte elk potlood.

Jays moeder stond in de gang door de open deur te kijken. Ze had alles geprobeerd om contact met hem te maken: praten, schreeuwen, zingen, briefjes, stripboeken, tv-kijken. Niets lukte. Nu stond ze en ze keek.

Haar niet-watervaste Chanel Inimitable-mascara begon te mengen met halfzout vocht en begon over haar wangen te lopen en op haar mantelpak te druppelen. Ze liet het druppelen. Ze wilde dit schouwspel voor geen goud onderbreken. De laatste keer dat ze haar zoon had zien tekenen was de dag dat haar man overleed.

Joop van Zanden had het meteen geweten. Hij was nog geen twee passen de kennel in of hij zag hem al liggen in het eerste hok. Een bruin- en witgevlekte Engelse buldog die keek alsof de wereld hem verraden had en hij ook eigenlijk niets anders verwacht had. Terwijl de andere honden naar voren kwamen, hopend op wat aandacht, bleef de Engelse buldog op zijn plek liggen. Hij hief zijn hoofd niet eens op. Alleen zijn ogen volgden Joop toen hij doorliep naar het tweede hok. Diezelfde ogen zagen hem ook terugkomen en wijzen. En die ogen lieten Joop niet meer los. Ook toen de medewerker van het asiel het hok betrad en tussen de andere honden door op hem afliep, bleef de Engelse buldog naar Joop kijken.

Jean Maas stond tegenover de glits.

'Waarom kan ik je niet verstaan? Ik spreek zeventien talen. Ik kan elke taal in de wereld leren. Wat hebben vier tieners, vier losers, dat ik niet heb? Dat is voor mij onbegrijpelijk, compleet ongrijpbaar. Versta je wat ik zeg? Begrijp je mij?'

De parelogen van het wezen keken onverstoorbaar terug.

'Maar zie je niet dat we er zo een eind aan moeten maken? Je hebt vier kinderen aangestoken met je klankpraatvirus. Het kan zo niet verder.'

De glits hield zijn hoofd iets schuiner. Misschien ook niet. Misschien verbeeldde Maas zich het ook. Het was moeilijk om goed te kijken.

'Wat wil je nou? Wat wil je in godsnaam? Snap je niet dat als je niks zegt er een einde aan komt? Dan hebben we geen keus.'

Het hoofd stond weer recht. Als het al bewogen had.

'Een einde, hoor je!' Maas liep weg en sloeg de deur achter zich dicht, wat een galmende echo in de cel veroorzaakte. Nu hield de glits wel degelijk zijn hoofd schuin om naar die galm te luisteren.

13

Jays moeder had het niet opgegeven om Jay te bereiken. Nu was ze bijvoorbeeld met een bepaald artikel in de krant bezig, continu aanwijzen en onverstaanbare geluiden erbij maken. Dat mensen daarmee hun tijd wilden verdoen.

Voor Jay was alleen muziek maken zinvol. Hij speelde liedjes die hij niet kende, die niemand kende, die alleen nu bestonden. Hij speelde overal doorheen.

De deurbel ging.

Jay stopte met spelen en keek even verbaasd naar zijn handen. Had hij...?

De deurbel ging nog een keer.

Gerustgesteld speelde Jay verder. Die wanklank was niet van hem afkomstig.

Jean Maas keek uit over de Noordzee en prevelde iets in het Arabisch. Hij had een dichtbundel van een Arabische dichter uit de dertiende eeuw gekocht. Vroeger, toen hij zes talen tegelijk studeerde aan de universiteit, las hij nog weleens poëzie. Het leek wel een vorig leven. Wie had daar nu nog een boodschap aan? En dan nog Arabisch ook. Al was hij juist vanwege zijn vaardigheid in de verschillende dialecten van het Arabisch door Klein bij de dienst gehaald.

Vanaf het balkon van zijn hotelkamer overzag Maas het strand van Scheveningen en ving flarden op van gesprekken op de boulevard eronder. Zweeds, Mandarijn, Japans, Engels... Hij begreep elk woord dat omhoogdwarrelde, elk woord. Alleen het wezen, de glits, verstond hij niet. Vanmiddag heel even, had hij gedacht iets te begrijpen toen hij voor hem stond. Twee klanken die het had uitgekraamd die met een beetje fantasie samen Rumi vormden. Zo heette die dertiende-eeuwse dichter en meteen had Maas deze bundel gekocht. Maar toen hij de geluidsband van die ontmoeting beluisterde alvorens het te vernietigen, was er niets dat op Rumi leek. Hoe vaak hij ook luisterde. Maar toen had hij het boekje al besteld.

De behulpzame jongeman kwam Jays kamer in. Die was er wel vaker en Jay had een kleine melodie voor hem die hij door zijn huidig spel heen weefde. Zo werd zijn aanwezigheid erkend, voor de goede luisteraar althans, maar de geringe betekenis van die aanwezigheid was daarmee ook aangegeven.

Achter de jongeman aan schuifelde echter iemand Jays kamer in die niet alleen nog geen melodie had, ze zette het hele spelen stop.

Rachel zag eruit alsof ze overal ter wereld zou willen zijn behalve hier. Een woestijn, een sneeuwstorm, een ijsschots in de oceaan, het moeten haar allemaal bekoorlijke plaatsen hebben geleken in vergelijking met waar ze echt was.

Jay kon niet meer verder spelen. Rachel had haar handen diep in haar zakken, keek niemand aan en zei niets. Zijn moeder kwam meteen ook binnen met twee glazen thee en vier koekjes op een schotel. Waarom vier? Ze zette het geheel onhandig op zijn bureau en braakte wat saaie geluiden uit. Toch was het alsof ze de deur uit huppelde. De jongeman ging erachteraan. En Jay wilde niet alleen gelaten worden.

Dat was niet waar. Hij wilde juist wel alleen gelaten worden, maar niet met dit meisje. Want waar moesten ze over praten?

'Hij is jong.' Rachel liet haar ogen over het interieur van Jays kamer glijden.

'Wie is jong?'

'Die vriend van je moeder.' Ze had zijn cd-collectie gespot en stapte erop af.

'Vriend?' Jay stond naast zijn bureau en liet zijn armen recht omlaaghangen, nee, toch beter met de vingertoppen op het bureau of... Hij pakte zijn thee.

'Zijn ze getrouwd?'

Jay zette zijn thee weer neer. 'Over wie heb je het?'

'Over hen.' Rachel knikte naar de deuropening waar Jay nog net twee hoofden kon zien verdwijnen.

'Mijn moeder heeft geen vriend.'

'Als jij het zegt. Heb je niets beters?'

'Wat?'

'Deze muziek.'

'Wat doe je hier?'

'Moet je hem vragen.' Weer knikte ze naar de deur, maar dit keer was er niemand te zien.

Ze zwegen. Zij bekeek de achterkant van zijn Electric Light Orchestra-cd. Hij keek hoe ze dat deed. Daarna Supertramp. Vervolgens Marvin Gaye.

'Dat is een goeie,' zei Jay.

Rachel bleef de songtitels lezen. Ze pakte alvast de volgende. 'Heb je alleen muziek van dode mensen?'

'Dat is Mozart. Wat wil je?'

'Nee, serieus. Volgens mij is iedereen hier op dit plankje dood. Wil je daar iets mee zeggen?'

'Aan wie zou ik iets willen zeggen?'

'Ik weet niet. Ik vraag maar...' Ze zette de Mozart-cd terug.

'Je thee.'

'Hoef ik niet.'

'Waarom ben je hier?'

'Hij zei dat je hulp nodig had.'

'Wat een gelul.'

Rachel haalde haar schouders op. 'Dat zei hij.'

'Was je weer bij *hem*?'

Geschrokken keek Rachel van de openstaande deur naar Jay.

'Hij werkt voor een krant,' zei Rachel.

Op dat moment kwamen Joris en Jays moeder de kamer in en begonnen saaie geluiden te maken en tot Jays ontzetting deed Rachel dat ook.

'Wat praat je raar.'

'Helemaal niet. Versta je ze echt niet?'

Jay schudde zijn hoofd.

'Mij ook niet?'

'Niet als je met hen praat.'

'Ze willen dat ik voor ze vertaal.'

Rachel sprak even in haar geheime saaitaal met de volwassenen en draaide zich toen weer om naar hem.

'Ze willen weten hoe het met je is.'

Jay moest lachen.

Rachel vond er niets leuks aan. 'Nou, wat zal ik zeggen?'

'Zijn gangetje, zeg dat maar.'

Rachel saaitaalde even weer wat en vooral de jongeman naast zijn moeder had van alles te zeggen.

'Ze willen weten hoe wij elkaar kennen. Wat zal ik zeggen?'

'Wat heb je al gezegd?'

'Dat we hebben samengewerkt aan een project.'

'Prima toch.'

'Hij wil weten welk project.'

'Laat hem.'

'Hij laat dingen niet.'

'Verzin dan wat.'

'Oké.'

Jay liet hen geluiden naar elkaar maken en keek naar zijn cd's. Hij zou haar zijn eigen muziek kunnen laten horen. Zou dat levend klinken?

'Je moeder wil van alles weten. Hoe het met je is. Of ze iets voor je kan doen. Wat je wilt eten. Of je tekenpotloden nodig hebt.'

Jay bekeek de drie mensen die in zijn kamer stonden. Ze keken allemaal terug om te horen wat hij wilde.

'Niets,' zei hij. 'Helemaal niets.' Er broeide iets vanbinnen, maar wat dat was mocht niemand weten.

'Ze willen weten of je je iets kunt herinneren van vlak voor het gebeurde.' Rachel begon steeds meer te klinken alsof ze dit uit verveling deed.

'Tja, ik was op school en… en ik voelde me eigenlijk net heel goed, weet ik nog. Dat kwam door *hem* denk ik en ook…'

Jay viel stil.

'Ook wat?'

'Nou ja, het is niks. Een meisje uit mijn klas wilde mijn remix horen. En dat vond ik… leuk.'

'Je vond haar leuk.'

'Nee, dat bedoel ik niet eens. Het was... het was gewoon leuk.'

'Wat een slijm.'

'Je hoeft het hun niet te vertellen.'

'Waarom vertel je het mij dan?'

'Ik... ik weet niet. Je vroeg het.'

'Doe jij alles wat je gevraagd wordt?'

Rachel werd onderbroken door de jongeman die blijkbaar een vertaling wilde hebben. Rachel maakte weer allerlei geluiden. En nu was Jay toch nieuwsgierig naar wat ze zei, maar hoe dan ook bleven het onverstaanbare klanken. Onzin die nergens over ging.

Wat het ook was dat Rachel vertelde, het leidde ertoe dat zijn moeder een kreet van verrukking slaakte en dat de jongeman uit zijn zak een klassenfoto van Jays klas haalde en met vragende blik meisjes aanwees. Als tweede wees hij op Jeannette.

'Waar bemoeien jullie je mee?' riep Jay en hij sloeg de foto uit de handen van Joris. Die had daar genoeg antwoord aan.

In de huiskamer werd Rachel aan een kruisverhoor onderworpen.

'Hoezo kun jij hem verstaan?'

'Hoe heb jij zo leren praten?'

'Waarom was je in het ziekenhuis bij hem?'

'Wie waren de anderen in het ziekenhuis?'

'Wat is dat voor een project waar je Jay hebt leren kennen?'

'Wat vertel je ons niet?'

Rachel had boos kunnen weglopen. Ze vond deze mensen in principe stom, zoals ze de meeste mensen in principe stom vond. Ze deed het niet. Dat snapte ze zelf ook niet goed. Waarom ze bleef. Of waarom ze überhaupt hier was.

Die mensen moesten iets van haar en normaal gesproken was er niets erger dan dat. En toch... Zij wist iets wat die mensen niet wisten... ergens gaf het een gevoel dat omschreven moest worden – als je heel eerlijk was – als niet faliekant kut.

Aangezien bijna alles wel faliekant kut was, was dit op zich een interessante nieuwe ontwikkeling.

'Is het een project voor school?' vroeg Joris.

Rachel keek de huiskamer rond. De televisie was duidelijk het belangrijkste apparaat. De groenlederen bank en alle stoelen waren daarop gericht. Aan de muur hing een sneeuwlandschap. Alsof dat warmte zou brengen.

'Vertel eens iets over dat project. Wat moeten jullie doen?' vroeg Joris weer.

'Het is om de smaak van nieuwe snoepjes te testen. We worden betaald.'

'Een bijbaantje?' Joris keek opzij naar Jays moeder.

'Eh... daar heeft hij misschien wel wat over gezegd...'

'Hoe heet dat bedrijf?'

Rachel haalde haar schouders op.

'Waar is het? Hoe kom je daar?'

'We worden opgehaald.'

'Door wie? Je moet wel een naam hebben.'

'Nou...'

'Natuurlijk wel, je moet wel één naam hebben.'

'Oké, Jean Maas heet die man. Maar hij houdt niet van journalisten.'

Jays moeder legde een hand op de arm van Joris. 'Wacht even. Ik ben gebeld door iemand die Jean Maas heet. Die wil Jay dit weekend meenemen voor onderzoek. Ik dacht dat hij bij het ziekenhuis hoorde... Heeft die man mijn zoon rare stoffen toegediend waardoor hij nu zo praat?' Haar stem ging steeds hoger.

Joris keek Rachel aan. 'Heeft het daarmee te maken? Dan nagelen we dat bedrijf aan de schandpaal.'

Rachel schudde haar hoofd. 'Nee, zo is het niet.'

'Hoe is het dan wel? Vertel het ons.'

Joris parkeerde zijn Skoda op de Postjesweg en wachtte met oversteken op een passerende auto. De man van de Spyshop had over de telefoon gezegd dat hij camera's verkocht die in een knoop van een trui pasten. Kon je je dat voorstellen? Dan was echt niets meer veilig.

De auto was voorbij. Bij het oversteken van de weg speelde Joris met iets in zijn zak. Een knoop van Jays bruine trui.

14

Jay was al vroeg wakker. Hij ging *hem* zien.

Was dit hoe vroeger Kerstmis of Sinterklaas gevoeld had?

Om acht uur was hij gewassen en aangekleed terwijl Rachel gezegd had dat hij pas om tien uur klaar hoefde te staan. Het verbaasde hem niet dat hij ineens de klok helder zag. Vandaag was de tijd allesbehalve saai. Dat gold niet voor zijn moeder die iets te melden had over het feit dat hij zich al had aangekleed. Allerlei saaie dingen. Ze hield kleren omhoog die ze blijkbaar had klaargelegd. Jay had iets anders aangetrokken. Lekker belangrijk.

Hij ging ontbijten. Als hij tenminste een hap door zijn keel zou kunnen krijgen. Zijn moeder bleef geluiden maken in zijn kamer, dus opende Jay zelf de koelkast. Appeltaart, aardbeien en citroenkwark. Precies wat hij nodig had. Het werd een bijzondere dag. Wat heet? Het was al een bijzondere dag.

Om halftien begon zijn moeder saaie geluiden in de telefoon te maken en niet lang daarna kwam ze met een glas melk aanzetten. Jay was er juist zo van doordrongen dat alles was zoals het moest zijn dat hij een afwerend gebaar maakte. Zijn moeder was blijkbaar zo wereldvreemd geworden dat ze het gebaar eerst niet herkende en dus doorliep tot ze naast hem stond en toen pas met een onhandig gebaar het glas wilde terugtrekken waarbij de inhoud over zijn schouder en mouw ging. Jay schudde zijn hoofd. Sommige mensen hadden echt hulp nodig.

Maar goed, wat maakte het uit op zo'n dag? Een beetje melk over je schouder. Je kon het het beste gewoon negeren.

Zijn moeder kon dat duidelijk niet. Ze ging allemaal onechte geluiden maken met gebaren erbij. Jay kon er niet naar kijken. Daarna kwam ze met zijn bruine trui aangerend ter vervanging van het druipende geval dat hij nog aanhad.

Terwijl zijn moeder zijn ene trui uittrok en de andere aan, bedacht Jay dat hij eigenlijk een keer zijn moeder mee moest nemen naar *hem*. Het zou haar goeddoen.

Op een veilige afstand van een kilometer volgde de Skoda de Audi. Joris wilde niet het risico lopen dat hij gezien zou worden. Hij zou door de zender in Jays trui toch wel weten waar ze reden en om de beelden te zien moest hij binnen tweehonderdvijftig meter van de Audi blijven. Binnen Amsterdam had hij dat wel gedaan en had zo de camera getest. Het instappen van Jay in de auto en de spaarzame pogingen van de chauffeur om een gesprek te beginnen had hij op die manier gezien. Op de snelweg liet hij een groter gat vallen. Hij wilde de batterijen van de knoopcamera sparen voor wat er ging komen. Wat dat ook mocht zijn. Hij had werkelijk geen enkel idee. Rachel had niet veel losgelaten.

'Maar,' zo stelde hij zichzelf hardop gerust, 'de gouden regel van goede journalistiek is niet voor niets: Heb geen verwachtingen, laat u verrassen!' Een slag op het robuuste Skoda-stuur moest dat nog even benadrukken.

Maas hield de autodeur voor hem open. Jay stapte uit en keek naar de bakstenen muur van de mislukte gymzaal. Heerlijk om hier weer te zijn. De deur werd door Joop van binnenuit opengemaakt. Toen Jay langs hem naar binnen stapte gaf Joop een knikje.

Het kwam Joop op een frons van Maas te staan. Joop sloot de deur en liep achter Jay en Maas aan. Een frons deed hem helemaal niets.

Honderdvijftig meter van die deur stond een Skoda met ogenschijnlijk autopech. De motorklep stond open en tien meter achter de auto was de gevarendriehoek opgesteld. De bestuurder zat op zijn passagiersstoel naar een laptopscherm te turen. Heel erg leek hij het allemaal niet te vinden. Of het moet een leuk filmpje op YouTube zijn geweest dat hij bekeek. In ieder geval verkeerde hij in een beste stemming.

Joop stond met Jay voor de deur van de cel. Ze moesten even wachten tot Maas met zijn vertalers Rachel en Tobias klaarzat in hun kamertje.

'Hoe is het? Wil je wat uittrekken? Je ziet er warm uit,' zei Joop.

Jay had het inderdaad warm, maar tot opluchting van de Skodabestuurder verstond Jay het niet. Jay vond het spannend om de glits weer te zien. Hij vroeg zich af of er iets veranderd zou zijn sinds hij er was geweest. Eigenlijk was hij het meest benieuwd of hij blij zou zijn hem te zien. Zou hij iets laten merken?

Waar wachtten ze op? Hij keek Joop vragend aan en zelfs die leek het te begrijpen. Hij wees de gang in en haalde verontschuldigend zijn schouders op. Meer had Jay niet nodig. De man leefde tenminste mee.

Rachel lag achterover in een stoel en keek demonstratief niet naar de twee andere aanwezigen in de kamer. Op haar schoot lag het notitieblokje dat Maas haar net gegeven had.

Maas was geirriteerd. Hij had net, geheel tegen zijn gewoonte in, iets persoonlijks verteld. Over hoe hij door de glits weer Arabische poëzie aan het lezen was. Over hoe hij dacht dat hij via die poëzie de glits begreep.

'Leuk voor je,' had ze gezegd. Maar hoe! Dat deed pijn. Dat kreeg je als je iets persoonlijks vertelde. Beginnersfout.

'Jongedame, er zijn geen twee manieren waarop dit kan gaan. Er is één manier. De mijne. Jullie zijn hier om te vertalen, als beloning krijgen jullie straks ieder één minuut bij de glits. Jullie mogen niet overleggen en schrijven voor mij de vertaling op. Als ik merk dat je iets niet vertaalt of niet accuraat vertaalt dan gaat het bezoekje niet door. Is dat duidelijk?'

Rachel liet wat adem langs haar tanden ontsnappen. Het klonk als een blikje cola dat geopend werd.

'Ik denk dat ze daarmee ja bedoelt,' zei Tobias.

Maas keurde de jongen geen blik waardig. 'En ik wil niet weten wat jullie denken. Alleen wat jullie horen.' Hij ging zitten, draaide het videoscherm zo dat ze het allemaal konden zien en hield een knop ingedrukt. 'Joop, ga maar naar binnen.'

Jay ging door de deur de cel in en stopte. De glits leek kleiner dan Jay zich kon herinneren. Kwetsbaarder en doorzichtiger dan hij geweest was.

Nu kwam Jay dit keer ook vanuit een andere plek binnen. Door de deur. Misschien kwam het gewoon doordat hij er verder vanaf stond. Maar toch...

Jay liep kalm verder de cel in. Rennen hoefde niet. Hoorde niet. Hier bevond zich iets breekbaars.

Joop sloot de celdeur en leunde ertegen met een vredige blik. Alsof hij iets heel goeds gedaan had. Hij keek daarbij naar de grond om ze wat privacy te geven.

Toen Jay halverwege de cel was voelde hij iets wat hem deed stoppen. Een siddering alsof hij door een metaaldetectorpoortje gelopen was. Even keek hij om. Hier ergens moest hij er de vorige keer uit gekomen zijn. Was die rare poort er nog? Maar hij stapte niet terug om het uit te proberen. Hij was hier voor iets heel anders.

De glits zag er inderdaad anders uit. Het was moeilijker te zien waar het wezen ophield en de omgeving begon. Niet alleen de glasachtige huid leek te bewegen, maar de randjes ervan, de omtrekken, vervaagden als je ernaar keek, alsof iemand ze had proberen uit te gummen, alsof iemand ze ter plekke aan het uitgummen was.

Jay deed nog twee passen en bleef staan.

Voor nu had hij er genoeg aan om er alleen maar te zijn. Om dicht bij hem te zijn, te kijken en te voelen.

'Ik hoor niets, zeggen ze wat?' vroeg Maas.

Rachel reageerde nauwelijks. Alleen aan het aanspannen van haar neusspieren zoals je doet als je gaat niezen, kon je merken dat ze Maas überhaupt had gehoord.

'Ze zijn stil,' zei Tobias.

Een heleboel dingen waren duidelijk voor Jay. Of nee. Het was anders. Het was heel duidelijk dat een heleboel dingen helemaal niet belangrijk waren. Dat dacht hij wel vaker, maar dan voelde dat toch zwaar op de een of andere manier. Grijs, zwaar en klankloos. Een beetje als lood. Maar nu voelde precies dezelfde gewaarwording licht, sprankelend en kleurrijk. Een heleboel dingen zijn niet belangrijk. Een heleboel.

Dat was een reden om te dansen, te lachen, te vrijen, te vliegen. Wat stom, wisten andere mensen dit wel? Hadden ze deze simpele, maar o zo wezenlijke helderheid wel voor ogen?

Jay deed nog een stap en opende zijn mond.

'Je bent er.'

'Wie sprak er?' wilde Maas weten.

'Hij,' zei Tobias.

'Wie, Jay?'

'Nee, *hij*.'

'Maar Jays mond ging open.'

'Stil nou,' zei Rachel en ze leunde dichter naar het scherm.

'Hulp nodig?'

De man had zijn toerfiets even op de standaard gezet om naar de pechvogel in zijn Skoda te lopen.

'Ik weet wel wat van auto's.'

Joris zat op de passagiersstoel met zijn laptop op schoot en keek niet eens op. Elk haartje op zijn lijf stond rechtovereind. Hij had geen idee waar hij nu naar keek. Maar hij had niemand nodig om hem te vertellen dat het bijzonder was. Heel bijzonder.

'Soms is het wat simpels. En als je er verstand van hebt, dan ben je zo weer...'

Joris keek niet op. Hij deed alleen iets met zijn hand. *Flikker in godsnaam op!* zei die hand. De fietser had geen enkel probleem die hand te begrijpen.

Jay glimlachte. 'Ik praat nu zoals jij.'

'Natuurlijk.'

'En niets anders.'

'Natuurlijk.'

Jay knikte. Misschien was het ook wel vanzelfsprekend. Waarom ook niet?

'Hoe is het met je?'

'Ik wil horen.'

Jay keek even achterom naar Joop. Maar hij wist dat hij daar geen hulp kon verwachten.

'Wat wil je horen?'

'Hoe het is.'

'Hoe het is?'

'Om hier te zijn.'

'Wil je eruit?'

'Ik wil weten hoe het is.'

'Wil je rondkijken? Ik zal het vragen. Ik weet alleen niet...'

'Van jou.'

'Van mij?'

'Hoe het is om jou...'

'Je wil weten hoe het is om mij te zijn?'

'Hoe het is.'

Ineens was dat het moeilijkste wat er was voor Jay. Vertellen hoe het was om... hoe het was om hem te zijn. Hoe het was om Jay de Bono te zijn uit Amsterdam. Dat was toch niet in woorden te vatten. Voor niemand anders zou hij het hebben geprobeerd. 'Hoe het is...' Jay liet zich op de koude vloer zakken en trok zijn benen in kleermakerszit. Hij snapte wat het wezen gevraagd had. Maar hoe gaf je daar antwoord op?

'Ik ben er vanaf dat ik wakker word. Dan ben ik ook waar ik wakker word. Mijn kamer, mijn bed. Dit bedoel je toch?'

Het wezen hield zijn hoofd schuin. Alsof het iets nieuws hoorde in Jay.

'En dan ben ik er de hele dag tot ik weer slaap en er niet ben. Ik kan dan kijken, naar mensen of dingen, ik kan lopen en dingen doen. Soms... soms zijn dagen als een helder glas water en dan klopt alles, maar meestal komt er snel een wolk bruin spul dat zich door de helderheid verspreidt, alsof er een theezakje in ligt. Die wolk beweegt zich op sommige dagen traag, molecuul voor molecuul, maar op andere dagen neemt iemand een lepeltje en roert. Het oprukkend bruin is dan onstuitbaar en neemt de dag in beslag, tot het 's nachts even gaat liggen om de volgende dag weer van voor af aan zijn tocht te beginnen.'

Jay hapte naar adem. De woorden waren niet te stoppen. Ze bleven komen.

'Als ik anderen kan vermijden blijft de helderheid langer en er zijn dingen die helpen: muziek maken, naar de lucht kijken of een Spaans meisje zoenen in een steeg. Maar meestal roert iemand mijn wolk door elkaar en hoeveel suiker ze ook zeggen dat ze met hun lepels erbij doen, het maakt alles alleen maar erger. Ik heb een woord in mijn arm geschreven om me eraan te herinneren dat ik nooit, nooit, nooit zelf kinderen ga hebben. Er is genoeg bruine wolk. Er is genoeg thee op deze wereld. Ik kijk al jaren het journaal. Dan vertellen ze wat voor belangrijks er gebeurd is. Je kan de lijken tellen. Ze houden ze bij alsof ze er bonuspunten voor krijgen. Jij moet dat niet zien. Jij hebt geen theewolk. Jij bent de enige die mijn wolk de andere kant op laat gaan. Van jou wordt alles helderder. Jij bent...'

'Jay.' Joop stond vlak achter hem en bukte voorover. 'Ze vragen of je iets langzamer kunt praten. De vertalers houden het niet bij.'

Jay was te verbaasd om iets te zeggen. Joop stapte weer naar achteren tot hij weer naast de deur tegen de muur stond. Hij drukte even in zijn linkeroor en knikte. Jay was de vertalers helemaal vergeten. Maar ze konden allemaal gigantisch de pot op.

'Zie je?' vroeg hij het wezen. 'Ze zijn allemaal met iets bezig. Allemaal lepels. Wolkmakers. Daarom begrijpen ze jou niet. Snap je?'

De glits rechtte zijn hoofd en het licht weerkaatste van hem naar Jay alsof hij de jongen iets toestuurde. De glits sprak drie woorden. Woorden die Maas onmiddellijk zouden doen ingrijpen en via Joop de sessie doen beëindigen.

'Neem me mee,' zei de glits. 'Neem me mee.'

Het duurde zeker vijf minuten voordat Joris vanaf de passagiersstoel van zijn Skoda op zijn laptop begon te typen. Vijf minuten waarin hij op zijn scherm gezien had hoe Jay onder de arm van Joop de cel uit gesleept was, enkele witte gangen door gedragen en nu alleen in een eveneens wit kamertje zat. Vijf minuten waarin Joris besefte dat hij niets verstaan had van wat er gebeurde tussen de jongen en dat, en dat... ja, hoe noemde het meisje het ook alweer, een glits? Wat kon het zijn? Waar kwam het vandaan? En hoezo konden tieners ermee spreken en volwassenen niet? En wat voor effect had het op die tieners? Waren ze geïnfecteerd geraakt met iets? Vijf minuten waarin hij twijfelde of woorden ook maar iets zinnigs zouden kunnen zeggen over waar hij getuige van was geweest. En dat nota bene slechts via een camera ter grootte van een knoop. Hemel, hoe zou het zijn als hij er zelf bij was? Joris huiverde bij de gedachte dat hij ook geïnfecteerd zou kunnen raken. Daarna huiverde hij bij de gedachte dat dat niet zou gebeuren. Daarna huiverde hij zonder gedachte.

Zijn hoofd greep in. Hij moest iets doen. Hij begon te typen.

Rachel had het te bont gemaakt.

Ze had de laatste drie woorden niet willen vertalen. Ze had Tobias geschopt omdat hij dat wel had gedaan. Ze had het vocabulaire van Maas op het gebied van scheldwoorden uitgebreid, alleen 'piklul' had hij al een keer eerder gehoord. Ger Brasem moest haar verwijderen. Ger moest al zijn jaren training in jiujitsutechnieken aanwenden om haar de kamer uit te krijgen.

Jay keek op. Maas en Tobias kwamen binnen. Joop stond bij de deur. Wegrennen zou niet makkelijk zijn.

'Het gaat niet goed met hem,' zei Jay. 'Hij moet hier weg. Dit kan toch niet. Hij mag wel met mij mee naar huis.'

Tobias keek hem met open mond aan. Maas keek weer geërgerd naar Tobias.

'Hoor je me niet? Hij moet hier weg en hij wil dat ik hem meeneem.' Jay schreeuwde.

Nu zei Tobias iets, alleen iets volkomen onbegrijpelijks. Alsof hij geluid martelde... Alsof er vuilnis uit zijn mond kwam. Jay verstond er geen woord van.

Ger Brasem reed net langs een Skoda die met pech aan de kant van de weg stond toen zijn telefoon ging.

Rachel zat woedend op de achterbank. Dat zij niet meer mocht vertalen, dat die gluiperd van een Tobias het zou doen, dat ze niet bij *hem* was geweest, dat ze haar niet meer nodig hadden, dat niemand haar nodig had...

'Terugkomen? We rijden net weg.'

De auto draaide om en Rachel ving een glimp op van degene in de Skoda. Met een ruk keek ze weer recht voor zich. Wat deed die hier? Ze was zo verbaasd dat ze vergat iets hatelijks te zeggen toen Ger aankondigde dat haar vriendje Jay ook voor Tobias niet meer te verstaan was. Dit gebrek aan hatelijkheid deed Ger nog een keer omkijken naar de Skoda. En zijn telefoon pakken.

De handen van Joris trilden. Hij had gezien dat Ger zijn telefoon pakte.

Nu dwong hij zijn handen om over het toetsenbord te bewegen. Dit was een echte deadline. Wat kon hij verwachten? Gewapende mannen om zijn auto?

Hij begon de beelden die hij had gemaakt te uploaden naar de server van de krant. Hij dacht er niet eens aan om weg te rijden.

Een balkje gaf aan hoeveel procent al verstuurd was: tien procent, vijftien. Hij keek op van zijn scherm. In de verte kwam er al een auto uit de poort. Hij moest er nog wat uitleg bij typen in een e-mail, anders zou niemand geloven wat ze zagen. De woorden vlogen uit zijn handen. Hij was altijd op zijn best vlak voor de deadline. De auto kwam langszij. Veertig procent. Een man met een litteken onder zijn oog stapte uit. Joris drukte met zijn elleboog het knopje van zijn portier omlaag. Hoeveel tijd gaf hem dat nog? Net genoeg om zijn e-mail te wissen als het verstuurd was? Vijfenvijftig procent...

Als Stef Goossens, zijn weerbarstige redacteur die alles al had meegemaakt, hem maar zou geloven. Want Joris had zo'n voorgevoel dat het nog wel even kon duren voor hij het mondeling zou kunnen toelichten.

Dat deed hem nog sneller typen. Want als het nu onaangenaam ging worden, moest het wel de moeite waard zijn.

15

De telefoon van Jean Maas ging voor de tweede keer. Maas negeerde hem.

Hij zat met Jay te wachten op Rachel om te vertalen. Tobias was naar huis gestuurd.

'Wat ik niet snap, is dat de meeste mensen rustig worden van hem, ik ook als ik bij hem ben, alleen jij wordt wild of valt flauw... Versta je me echt niet?'

Jay keek hem argwanend aan. Maas klonk anders dan anders, alsof hij echt iets van zichzelf gaf. En ook al verstond Jay de woorden niet, hij verstond dat stukje wel, dat gevoel. Daardoor wilde hij bijna wat terugzeggen, iets echts teruggeven, maar op het laatste moment beet hij zijn lippen op elkaar. Dit was de man die *hem* gevangenhield. Dit was de vijand.

Een stem klonk door de kamer. Het was Vic. 'Ik heb Harold Klein aan de lijn. Hij probeert je te bellen.'

'Verbind hem maar door.'

'Op de speaker?'

Maas keek naar Jay die onrustig heen en weer schoof op zijn klapstoel. 'Er is hier verder niemand die het verstaat. Kom maar op.'

Een gekraak volgde en toen de stem van Harold Klein. 'Jean, waarom neem je niet op?'

'Ik zat in verhoor.'

'Ik draaide code 1, die hoor je altijd op te nemen.'

'Die procedure moeten we dan even bekijken, want hij kwam niet door als een code 1.'

'Godverdomme kerel, loop nu niet raar te doen. We hebben een code 1-situatie. Dat ding moet onmiddellijk worden opgeruimd.'

'Dat ding?'

'Ja, dat ding, dat foutje, dat uitglijertje van Moeder Natuur, weg ermee.'

'Glits, Harold, glits. En ik heb je toch toegezegd dat na de kinderen...'

'Flikker op met je kinderen. Nu opruimen. Svensson heeft net een journalist binnengebracht die met zogenaamde pech buiten het gebouw staat.'

'Wat?'

'Shit Jean, jij wist dat dus niet eens. Man, je bent de controle kwijt. Ik doe het zelf wel. Blijf daar uit de buurt. Dat is een bevel.'

Jay liep naast Maas door de gangen.

'Gaan we terug naar *hem*?'

Maas keek opzij en versnelde vervolgens zijn pas. Hoe kon zo'n kind blije geluiden maken in een situatie als deze?

In de gang kwamen twee mensen hun tegemoet. Het waren Joop en Rachel. Jay schrok een beetje. Zij ook hier? Maas stopte echter niet. Hij blafte iets onverstaanbaars en die twee sloten zich bij hen aan. Nu liepen ze met zijn vieren door de gangen. Hun voetstappen maakten een roffel die bleef hangen tussen de muren. Bijna ongemerkt ging het steeds sneller, maar Jay merkte dat soort dingen wel op. Daarbij had hij al eerder gezien dat ze geen maat konden houden.

'Ik zag buiten de vriend van je moeder.' Rachel liep vlak achter hem.

'Wat?'

'Hij was buiten in een auto.'

'Mijn moeder heeft geen vriend.'

'Ach, je weet best wie ik bedoel, die journalist.'

Jay stopte. 'Hoe komt hij hier dan? Heb jij hem...?'

Joop liep achteraan en duwde hen weer voort. Een hoek om en ze waren er. Maas was de deur al open aan het maken.

De celdeur ging open. Rachel liep snel naar binnen. Jay volgde met Maas en Joop achter hem. Het werd druk in de cel.

Het leek de glits niet te deren.

'Je bent er,' zei het.

En omdat Rachel vooropliep gaf zij eerder antwoord.

'Ja.'

Ze trilde over haar hele lichaam. Haar ogen waren gefixeerd op wat recht voor haar op de stoel zat. Hoe kon ze er zo'n gevecht van maken? Het was toch het makkelijkste wat er was? Eigenlijk wilde Jay niet met haar bezig zijn, hij was hier voor zichzelf en voor *hem*, maar er had zoveel in dat ene woordje 'Ja' gezeten: doodsangst, paniek en ook een enorme kracht. Het verwonderde Jay, beangstigde hem bijna.

Op een teken van Maas manoeuvreerde Joop zich tussen de glits en de tieners in.

Jay keek weer naar *hem*. De glits ging helemaal op in Rachel. En net toen Jay wilde roepen dat hij er ook nog was, zei het: 'Jullie zijn samen.'

Op dat moment legde Maas zijn hand op Rachels schouder en sprak tegen haar. Het klonk niet meer als dwangbevel, er zat iets smekends in.

'Hij zegt dat er weinig tijd is. Hij wil weten of je geneest door met hem te praten,' vertaalde Rachel.

'Geneest? Ik ben toch niet ziek. Laat die man. Kan hij ons niet alleen laten?' De glits draaide zijn hoofd en keek duidelijk van Jay naar Rachel en terug.

'Zijn samen.'

Maas zei iets op indringende toon tegen Rachel. Ineens kreeg Jay zin om het te kunnen verstaan.

'Praat met hem, nu het nog kan, zegt hij.' Nu was het Rachel die smeekte.

Jay hoorde haar al niet meer. Hij had geen aansporing nodig om met *hem* te praten en als iemand dat niet begreep dan was diegene sowieso niet de moeite om naar te...

Op dat moment werd de celdeur met nogal wat kracht opengesmeten. Daarop kwamen twee mannen binnen, een grote stoere met een litteken bij zijn oog en een kleine woedende man die hoe klein hij ook was, al snel een kop groter dan Maas leek. Hij wees op Jay, op Rachel en op de glits. Hierbij brulde hij een brul die vooral leek te zeggen: Zie je wel! Zie je wel! Zie je wel!

Rachel was wit weggetrokken en net toen Jay haar wilde zeggen dat ze zich niets moest aantrekken van deze zelfingenomen brulaap fluisterde ze ontdaan:

'Ze hebben de journalist.'

Harold Klein had weer iets van zijn kalmte hervonden. 'Maak er nu een eind aan.'

'Maar Harold...' begon Maas.

'Ik heb gezegd dat zodra de eerste journalist... dan meteen...'

Maas keek naar de grond en toen naar Rachel. Iedereen keek naar Rachel. Niet omdat zij de meest waarschijnlijke schuldige was, maar omdat een langgerekte gil uit haar keel kwam die klonk als onheilspellende wind in een schoorsteen. Dit duurde en duurde maar, alsof de tijd zelf aan de grond was genageld. Niemand bewoog, niemand deed iets. Tot ze zichzelf naar voren wierp. Naar *hem*. Met haar armen uitgestrekt viel ze naar voren. Ze ging *hem* omhelzen, vasthouden om hem nooit meer los te laten, om alles wat ooit gedaan was ongedaan te maken.

Het was kansloos.

Ze had nog geen vier stappen gezet toen Joop haar bij haar middel greep en over zijn schouder wierp in een ouderwetse brandweergreep.

De man met het litteken, Svensson, was voor Jay gaan staan en hield zijn handen zoals een keeper dat bij een penalty doet, klaar om iets te vangen of weg te stompen.

Jay begreep het niet. Dachten ze dat hij, Jay, het wezen kwaad wilde doen? Jay keek achterom om te zien of Maas dat ook dacht. Maas stond recht achter hem met zijn hoofd te schudden. Die begreep ook iets niet. Links van Maas stond de brulaap te schreeuwen en rechts… Jay moest een tweede keer kijken.

Er zat een scheur in de lucht. Zoals wanneer iemand een foto in de lengte doorknipt en niet helemaal goed terugplakt. Dan is er een beetje overlap waardoor over de lengte van de foto een strook realiteit ontbreekt.

'Ze gaan hem doodmaken,' riep Rachel ondersteboven hangend.

Dat bracht Jay in beweging. Instinctief dook hij naar voren. Svensson had daarop gewacht. Als twee American-footballspelers knalden ze tegen elkaar aan.

Jay lag plat op zijn rug en Svensson stond erbij alsof er nog helemaal niets gebeurd was. Nee, hij stond erbij alsof hij meer verwacht had en nog steeds hoop had op meer.

'Doe iets!' gilde Rachel.

Jay probeerde razendsnel over de grond langs de man te komen, maar die wierp hem terug zoals een keeper een te makkelijk schot terugwerpt met: 'Kom eens met wat beters…'

Jay lag op de grond. Iemand had de kraag van zijn trui beet en begon hem overeind te trekken. Jay keek op. Het was Maas. Achter Maas zag Jay een trilling in de lucht, een witte muur die er even wel was en toen niet.

Hij ging staan en hief zijn handen op. Maas liet hem echter niet los.

Jay duwde zich achteruit met zijn hoofd omlaag, zodat de trui half over hem heen getrokken werd. Maas kneep nu de hals van de trui dicht en hield deze laag zodat Jay zijn hoofd niet meer zijn trui uit kon krijgen en dus niets meer kon zien.

Maar blind zijn hoefde geen belemmering te zijn. Jay wist precies waar hij heen wilde... Even zag hij de samoerai met zijn hoofd in de wolken voor zich en toen kwam hij in actie.

Jay gooide zijn armen omhoog en rolde achterover. De trui werd binnenstebuiten gekeerd. In één beweging trok Jay zijn armen uit de mouwen en maakte een hele koprol achterover.

Nu was hij in geen enkele gymles op geen enkele leeftijd in staat geweest een koprol te maken. Voor- of achteruit. Maar al die jaren had het blijkbaar toch in hem gezeten. Zijn achterhoofd klapte wel wat hard op de stenen celvloer maar hij kon gewoon doorrollen en het lukte hem zelfs bijna om op zijn voeten terecht te komen. Zijn gympen konden echter geen houvast vinden op het linoleum. Ze gleden naar achteren tot ze steun vonden tegen een muurtje. Nu stond hij stil, als een sprinter aan de start van een atletiekbaan op handen en voeten.

Het bleef stil. Doodstil. Het was hem gelukt. Dit was niet langer de vloer van de cel. Links en rechts waren de witte muren, hij had zijn gang gevonden.

De samoerai was achterover van het papier afgerold.

In de cel was het allesbehalve stil. Maas stond met een trui binnenstebuiten in zijn hand te kijken alsof... alsof hij net iemand op klaarlichte dag, recht voor zijn neus, met zijn eigen ogen had zien verdwijnen.

Harold Klein vroeg Maas in onbedekte termen of hij überhaupt iets goed kon. Rachel gilde in een voor bijna iedereen onverstaanbare gil het woord 'lafaard' door de cel.

Jay bleef roerloos in de starthouding liggen. Hij was bang dat één verkeerde beweging hem weer voorwaarts de cel in zou doen kukelen. Hij hoefde niet om zich heen te kijken. Hij wist heel goed dat deze nis tot een iets grotere nis zou leiden, die dat ook weer deed tot het uiteindelijk een gang genoemd kon worden en dan... Tja, hij wist niet waar die gangen uiteindelijk heen gingen. Daar was hij nu ook helemaal niet mee bezig. Hij keek hoe Maas en Svensson rondstapten alsof ze blindemannetje speelden, zwaaiend met hun armen om iets te voelen, niet zeker dat er iets was om te voelen. Maas stapte bijna door Jay heen, maar verdween simpelweg uit beeld. Om iets later nog altijd onzeker zwaaiend terug te komen.

Harold Klein was in momenten van crisis op zijn best. Dan hoefde je niet met allerlei belangen en doelgroepen rekening te houden of zorgvuldig iedereen te informeren en ervoor te zorgen dat je de achtergronden gedocumenteerd had.

'Vic, status rood. Alle camera's uit,' riep Klein naar het plafond. Hij wees eerst op Joop: 'Breng het meisje naar een kamer.' Toen op Maas: 'Vind die jongen!' Naar Svensson knikte hij kort. De man trok een vuurwapen, een klein, zwart pistool met een lange loop.

Joop, gewend als hij was om orders te gehoorzamen, was met Rachel over zijn schouder onderweg naar de deur. Bij het zien van het wapen bleef hij echter staan.

'Je hebt je orders, hup.' Kleins duim prikte richting deur.

'Er mag hem niets overkomen,' zei Joop kalm.

'Ik ben verrukt dat je een mening hebt. Ga vooral zo door, daar kun je ver mee komen, en nu opgesodemieterd.'

Joop bewoog niet. 'Ik meen het,' zei hij.

'Ook al besmet. Joop, je gaat onmiddellijk twee weken naar Aruba en als je niet uitkijkt blijf je daar als verkeersagent, dus ingerukt.'

'Ik ga nergens heen,' zei Joop. 'Ik heb een hond.' Hij zette Rachel neer.

'Harold...' begon Maas.

'God, wat een puinhoop. Maak het beest af.'

Even was Joop onzeker of Klein de glits bedoelde of Joops hond. Daardoor reageerde hij te laat toen de bewaker met getrokken pistool naar het wezen toestapte en de loop tegen het hoofd zette. Svensson was gewend meteen de trekker over te halen, hij had al jaren niets anders gedaan, maar dit keer moest hij simpelweg eerst kijken. Bewegend breekbaar glas met parels als ogen. Het was te wonderlijk. Het gaf Joop precies de seconde die hij nodig had om al zijn honderdenacht kilo's tegen de man aan te smijten. Ondanks de klap was Svensson onmiddellijk ter been en hij dreunde op Joop in alsof hij blij was om iemand van zijn eigen grootte te zien om American football mee te spelen, waarbij hij probeerde zijn wapen hard op Joops schedel te laten neerkomen. Ze buitelden beiden over de grond en gooiden daarbij de stoel met glits en al om.

Rachel was in twee stappen bij hem en ook al was dit de eerste keer dat ze hem aanraakte en had zijn lichaam vreemde proporties, ze wist hem in één keer in haar armen te nemen en met hem tegen haar borst geklemd naar de deur te sprinten.

Daar stonden Maas en Klein naast elkaar. Ze keken even naar elkaar alsof ze allebei wilden dat de ander dit vuile klusje zou opknappen. Dit was haar kans. En voor het onverklaarbaar lichte wezen dat ze tegen haar borst aanklemde was het de laatste kans. Alles of niets. Ze mikte precies tussen hen in.

Ze haalde het niet.

Ze kwam niet eens in de buurt. Ze had nog geen vijf passen gedaan of ze werd van achteren bij haar kraag gegrepen. Terwijl haar voeten in de lucht nog wat doorrenden werd ze naar achteren gerukt alsof ze een vuilniszak was die nog in een vuilniswagen gesmeten moest worden. Het was eigenlijk een mooi gezicht. En op een ander moment zouden Maas en Klein daar misschien wel van genoten hebben. Nu echter kwam het hun onwerkelijk en schokkend voor, omdat de arm die haar naar achteren trok zomaar net voorbij de elleboog uit de lucht stak. De hand aan de kraag kwam uit het niets en sleepte wat het vasthad daar ook naartoe...

De helft van Rachels lichaam was al uit beeld verdwenen, alleen haar witte broek en blauwe schoenen waren nog te zien. Maas slaakte een kreet die eigenlijk niet in zijn vocabulaire thuishoorde en dook naar haar benen. Hij kreeg haar linkerbeen te pakken en hing daar met al zijn gewicht aan. Of Rachel aan een sport moest denken of niet, in ieder geval wist ze met een gevoel voor timing die een professioneel voetballer niet zou hebben misstaan haar rechter Dr. Martens hard omhoog te brengen. De stalen neus van deze schoen belandde net boven de lijn die je zou kunnen trekken tussen het rechteroog van Maas en zijn rechteroor. Het geluid had iets lieflijks.

Alsof iemand een dikke, natte zoen kreeg.

Svensson had Joop eindelijk in een houdgreep. Hij wist dat Joop erom bekendstond nooit pijn te voelen en hij was eigenlijk teleurgesteld dat Joop al begon te kreunen toen hij de eerste keer zijn dubbele armklem hard aanzette. Nu had hij de tijd om even om zich heen te kijken en van schrik liet hij Joop bijna los. Maas lag op de grond en Klein schopte woedend op hem in. Maas verdedigde zich niet en gaf ook geen krimp. Zijn hoofd rolde slap heen en weer alsof het hem allemaal niet meer interesseerde, alsof helemaal niets hem meer interesseerde.

Ze lagen op de grond in de nis half tegen een muur aan. Rachels achterhoofd was vlak onder Jays kin en vanaf haar borst keek het wezen hem vredig aan. Of gelukzalig misschien. Zo voelde het althans voor Jay. Hij voelde de muur van het eerste hoekje in zijn rug.

Voor het eerst raakte hij het wezen aan. Het was wonderlijk. Zijn huid voelde je nauwelijks. Jay streelde het bovenarmpje en pas na een tijdje voelden zijn vingers iets, alsof het eerst warm moest worden voordat je iets kon voelen.

Jay kon niet zeggen of het een seconde was voordat Rachel bewoog of een minuut, maar het was in ieder geval te snel.

Ze keek vertederd naar wat ze in haar armen had, besefte toen pas waar ze tegenaan leunde en sprong, voor zover je in zo'n kleine ruimte kon springen, overeind.

'Jij vieze...'

'Ssst,' zei Jay geschrokken en hij probeerde ook overeind te komen.

'... wat denk je wel.'

Rachel stapte weg van Jay. De verkeerde kant op. Hij had geen keus. Hij greep haar bij haar jasje, trok haar en de glits weer tegen zich aan en legde een hand op haar mond.

'Stil zijn,' fluisterde hij om daarna zelf een luide gil te geven. 'Je bijt in mijn hand!'

'Je moet van me afblijven. Volgende keer bijt ik door. Laat me los!'

'Oké, maar stap niet naar achteren, dan...'

'Los!' Rachel schopte en vond zelfs in die kleine ruimte feilloos zijn scheenbeen.

Het bracht Jay in ieder geval in beweging en hij trok hen twee hoeken om. Rachel probeerde hem nog een keer te raken.

'Ik laat los, maar ren niet weg!'

Jay liet haar gaan en Rachel trok zich meteen terug in een hoek, wat dertig centimeter ruimte tussen hen opleverde.

'Je zat aan me,' zei ze.

'Jezus, ik zat aan hem. En alsof we niet iets anders aan ons hoofd hebben op dit moment.' Hij wreef over zijn scheen. 'Allemachtig, wat schop je hard.'

'Dat was niets. Ik heb daarnet iemand nog tien keer zo hard een knal gegeven. Die zat ook aan me.'

'Ik voelde al iets, trok er iemand van de andere kant?'

'Die denkt wel twee keer na voor die dat weer doet.' Voor het eerst keek Rachel om zich heen. 'Waar zijn we? Wat is dit?'

'Ik weet het niet echt. Maar ik ben hier eerder geweest. Dit zijn gangen. Zo kwam ik de eerste keer bij hem.'

'Waar gaat het heen?'

'Ik weet het niet zeker, naar buiten hoop ik.'

'Nou, lopen dan.'

'Ga jij maar langs mij, ik wil nog één keer in de cel kijken.'

'Niks daarvan, het is veel te nauw. Lopen jij.'

'Oké. Dan is het verderop wel breder. Tjonge, je stelt je wel een beetje aan.'

'Aanstellen, ik? Ik zat niet meteen met mijn handen overal aan, ik...'

'Boowaaah,' zei de glits.

Jay liep al.

Vijf hoeken later konden ze elkaar moeiteloos passeren en Jay liep terug om nog even de cel in te kijken. Het was hun laatste kans om nog wat te weten te komen. Of Joop nu aan hun kant stond bijvoorbeeld. Jay wist precies waar hij moest staan zodat hij niet gezien werd.

Toen hij aankwam op het punt waar hij uitzicht had schrok hij. Iemand trok net een wit laken over een lichaam op de grond. Hadden ze Joop vermoord?

Jay hield een hand tegen zijn mond. Het laken was te kort. De dode man had ellenlange benen met roodbruine schoenen eronder. Een deel van zijn hoofd was ook te zien.

Het was Maas.

Degene die het laken had neergelegd verliet de cel. Het hoofd van de dode man lag op een kledingstuk. Een bruine trui. Zijn trui.

Waarom moesten ze zijn trui nemen? Dat klopte niet. Dat was niet eerlijk. Jay duwde zijn hoofd naar voren om in de cel rond te kijken. Die was verder leeg. Een deel van hem wilde weg, het gewoon zo laten, wat kon hij eraan doen? Maar een ander deel, dat het nu voor het zeggen had, hield niet van lafheid. Hij stapte naar voren.

Het was ook niet alsof hij iets stal. Het was zijn trui... Hij was geen geld van een dode aan het jatten of...

Jays maag duwde iets omhoog, iets waar het vanaf wilde. Even dacht Jay dat het het zien van een dode was. Hij had zijn vader in een kist gezien en misschien moest hij daarom nu... Maar dat was het niet. Het was het idee, dat nu hij hier toch was, hij net zo goed de portefeuille kon...

Onder normale omstandigheden zou hij nooit iets met dit idee gedaan hebben. Hij zou liever zijn linkerpink afsnijden of naakt naar school gaan.

Maar dit waren geen normale omstandigheden.

Jay pakte zijn trui beet en met zijn andere hand gleed hij onder het laken en voelde in welke broekzak Maas zijn portefeuille had. Aan beiden, trok hij heel zachtjes. Het laken verschoof en het gezicht van Maas werd half zichtbaar alsof hij net boven het witte doek wilde uitkijken. De trui kwam los en het hoofd rolde opzij.

Maas keek hem aan.

Niet eens verwijtend. Zijn pupillen waren weggerold en het waren pure, witte ogen die Jay niets ziend en alles ziend aanstaarden.

Parels in plaats van ogen.

Op dat moment was Jay doodsbang geweest. Niet voor de dode. Ook niet voor de levenden. Maar dat de gang hem misschien niet meer zou toelaten. Hij, de lijkenpikker.

16

Jay liep gestaag de gangen door om Rachel en de glits in te halen. Het ritme van zijn voetstappen hielp hem om niet te denken aan wat hij had gezien en wat hij had gedaan. Vooral dat laatste. Hij bond zijn trui om zijn middel.

De gangen waren al tien passen lang toen hij hen inhaalde.

'Jezus, wat heb jij?' zei Rachel.

Jay wist even niets te zeggen. Hij had eigenlijk een nors zwijgen verwacht. Geen 'goed dat je er bent' of 'gelukkig, je bent er'. Maar dit?

Alsof hij iets fout gedaan had. Alsof ze wist dat hij...

'Je ziet helemaal groen.'

Op dat moment moest Jay wel stilstaan bij hoe hij zich voelde. Dat was niet goed. Hij klapte voorover en braakte zijn maaginhoud tegen de muur. Voor de zekerheid probeerde zijn maag zich nog twee keer te legen, maar er zat al niks meer in.

Jay keek op. De gang was leeg.

'Slappe zak.'

Jay had ze weer ingehaald en liep nu naast haar door de steeds langer wordende gangen.

'Zodra het erom gaat spannen wordt het te veel voor meneers maag. Zwakke zenuwen zeker?'

Jay opende en sloot zijn mond. Wat kon hij zeggen? Hoe zou zij zich voelen als zij wist dat zij... Wat schoten ze daarmee op?

'Hoe is hij?' vroeg hij maar.

Dit kwam hem op een minachtende blik te staan.

'Mag ik hem...'

'Tsss, je kunt amper jezelf omhooghouden. Als je het niet bij kunt houden sta je alleen. Dat begrijp je hopelijk wel. Ik heb geen tijd voor slappelingen.'

Ze liepen door. Sloegen hoek na hoek om. Jay wilde nogmaals vertellen dat hij hier eerder was geweest, dat het zijn gang was, dat hij de weg kende. Maar wat viel er te kennen aan deze weg? En waar het op uitkwam wist hij niet.

Zwijgend lieten ze hun voeten het werk doen en langzaam werden de witte gangen en de witte hoeken één geheel. Rachels witte kleren verdwenen erin en alleen haar moordlustige schoenen en haar hoofd leken deze reis te maken. Het was het enige waar ze uit bestond. De glits, doorzichtig als die was, verdween met Rachels middenrif in de klinische witte achtergrond die hen zowel gevangenhield als bevrijdde. Het was een gevangenis en een uitweg. Alleen het was wel een lange uitweg en niemand wist waar die op uitkwam.

Rachel stopte. Ze moest op adem komen. Jay deed zijn best om te laten zien dat hij helemaal niet moe was. Hij veerde op en neer, sloeg een paar keer met zijn vuist in zijn handpalm.

'Zal ik hem even...'

'Nee.'

Geen uitleg. Geen verontschuldiging. Gewoon nee.

Rachel leunde tegen de perfect witte muur en deed of Jay niet bestond.

'Laat me hem dan even zien.'

Ze liet haar wit katoenen jasje openvallen. De glits hing als een aapje aan haar nek. Het was kleiner dan voorheen alsof het voor deze gelegenheid veranderd was in een kleinere, handzame reisversie van zichzelf.

'Slaapt-ie?'

‘We gaan.’ Rachel trok haar jasje weer toe.

‘Ja maar...’

Rachel stopte na twee passen en draaide zich om. Haar blik onderbrak Jays zin, maakte die overbodig, bij voorbaat kansloos. Ze liep door.

Even, heel even, dacht Jay eraan om terug te gaan. Om de cel weer in te stappen en te accepteren wat er kwam. Dan kon hij de portefeuille terugleggen, uitleggen wat er gebeurd was en vragen of hij naar huis mocht. Naar zijn synthesizer, naar zijn moeder, naar school.

Rachel verdween om de hoek. Jay volgde. Zijn lichaam zette zich in beweging alsof zijn gedachten niets te maken hadden met wie hij was.

Acht hoeken later kwamen ze langs de pisvlek op de muur. Jay sprong naar voren om haar recht aan te kijken.

‘Dat was ik! Dat is van mij. Zo kwam ik erachter dat... Ik bedoel, ik liep eerst rondjes en toen ik gepist had en het weer zag begreep ik pas...’

Rachel stapte hoofdschuddend verder. ‘Je kotst en pist overal en je bent er nog trots op ook. En dat noemt zich een vent.’

Jay bleef staan. Tegen haar rug riep hij: ‘Ik noem mezelf helemaal niks. Dat doe jij.’

‘Nog erger,’ zei Rachel en ze sloeg de hoek om.

Jay liep terug en keek met iets van weemoed naar zijn pisvlek.

‘Ze begrijpt je niet,’ zei hij.

De gangen werden langer. Jay telde zijn passen niet meer, ook de hoeken niet. Hij stapte gewoon voort in een ritme en hoorde dat ritme terug van zijn voeten. Dat ritme werd voelbaar, zoals bij goede muziek. In je buik, onder je buik, onder alles lag een ritme. Alles hoorde een ritme te hebben.

Rachel had een ander ritme en Jay hield af en toe in om toch met dezelfde snelheid te lopen. Pas – Pas – Pas – pasje – pasje – Pas – Pas – Pas. Hij zou kunnen zingen. Als hij alleen was zou hij zingen...

Hij keek opzij. Stom dat anderen je soms tegenhouden. Want als hij alleen was met de glits, met *hem,* zou hij de mooiste liederen zingen. Stevie Wonder, Marvin Gaye, zijn eigen werk. Maar hij wist nu al hoe Rachel zou reageren. En toch...

Binnensmonds vormde Jay klanken die woorden zouden kunnen zijn. Geluiden die muziek konden worden. En het ging over hier. Over nu. Over dat het leven veel en veel slechter kon zijn dan hier te lopen. Dat deze rechthoekige spiraal van een gangenstelsel eigenlijk de enige juiste plek was op dit moment. Dat het gezelschap niet beter kon. Nou ja, zij was af en toe best moeilijk. En ze had Maas voor zijn hoofd geschopt. Doodgeschopt. Ze was een moordenaar.

'Waarom stop je?'

'Ik stop helemaal niet. Ik loop toch.'

'Met zingen, bedoel ik.'

'Zingen?'

'Ja, ik vond het mooi. En heel toepasselijk.'

Nu begon Jay echt aan haar verstand te twijfelen. Hij had geen geluid gemaakt. En ook binnensmonds alleen klanken gezongen, geen echte woorden. En dat hij nu stopte was omdat zij een...

'Dus je raakte nog iemand?'

'Wanneer?'

'Toen ik je naar binnen trok.'

'Ja.'

'Waar raakte je hem?'

Ze lachte. 'Weet ik niet. Maar het was hard. Zo hard als ik kon.'

Hij zei niets. Ze kwamen bij een hoek. Ze stopte.

'Wat heb je gezien dan? Lag er bloed of zo?'

Jay knikte.

Rachel greep hem bij zijn T-shirt. 'Mag ik meneertje er misschien aan herinneren dat ze hem dood wilden maken. Dood, hoor je. Dit is geen spelletje over wie de leukste pis- of kotsvlek kan maken. Dit gaat over leven of dood, hoor je?'

Dat had ze niet moeten doen. Nu vroeg ze er zelf om. Ze had dat meneertje niet moeten doen, dat pis- en kotsvlekgrapje niet en ze had hem niet vast moeten pakken. Nu verdiende ze precies te weten wat ze was. Wat voor bloederige teef ze was.

Er was een wonder voor nodig om Jay ervan te weerhouden het te vertellen. En dat is precies wat er gebeurde. Een wonder. De glits maakte een arm los van Rachels nek en reikte naar hem. Het reikte naar hem en pakte hem beet. Dat maakte wat volgde onvermijdelijk. Rachel kon niet achteruitstappen. De glits stapte over en nam dezelfde houding aan op Jays borstkas.

Ze hadden contact. En niet zomaar contact. Voor Jay was het alsof elke cel in zijn lichaam onder stroom stond.

Rachel slikte wat weg. Lelijke woorden, of verdriet, of wat dan ook. Ze slikte en keek toe.

'Wauw,' zei Jay.

'Het werd tijd dat je ook wat ging dragen.'

Jay droeg hem met gemak. Hij bleef om de zoveel stappen omlaagkijken om te zien of hij het naar zijn zin had. Tegen Jays zwarte T-shirt stak het wezen nauwelijks af. Jay hoefde eigenlijk niet eens te kijken om te weten hoe het zich voelde. Het hing gewoon in de lucht. Het wezen, de glits, was tevreden. Tevreden op het gelukzalige af. Dat voelde je gewoon. Omdat hij bij hem was. Dat was de enige reden die Jay wilde weten.

'Loop door.' Rachel was slechts een paar passen voor hem, maar wist de indruk te geven dat het heel wat voorstelde. Op de hoek hield ze even in. 'We moeten hieruit. Besef je dat niet?'

'Natuurlijk wel.'

'Nou, waarom treuzel je dan zo?'

Jay glimlachte. Ze deed hem niets. Wat ze ook zei. Ze was gewoon jaloers. Jaloers en opgefokt. En opgefokt was ze altijd al dus je kon gewoon jaloers zeggen.

'Jij kent de weg toch?'

'Ja, het is gewoon rechtdoor.' Jay wees daarbij de hoek om, na al die voorgaande hoeken voelde dat als rechtdoor.

'En waar komen we dan?'

'Dat zien we dan wel.' Jay begon weer te lopen.

'Dat is je plan? Dat zien we dan wel?'

'Ja, lopen tot er een deur komt en dan zien waar die heen gaat.' Jay liep gewoon door.

'En wat doen we als die deur op slot zit?'

Jay zei niets. Die gedachte was nog niet bij hem opgekomen. Ergens ging hij ervan uit dat als je niet bedacht dat er een afgesloten deur zou zijn, die ook niet afgesloten zou zijn. Alleen nu had zij er wel aan gedacht. Typisch. Kon hij dat nu nog ongedaan maken?

Er kwam een deur. En hij zat op slot.

Na zeker een kwartier lopen was hij daar ineens. In de muur aan de buitenkant, net over de helft van de gang, een grijs metalen deurblad, zwart kunststof frame, zilveren deurhendel. Een deur. Op slot.

'Ik zei het toch.'

Jay gromde iets.

'Wat zei je?'

'Niks.'

'Jawel, je zei iets.'

'Welnee.'

'Mijn god. Je durft het niet hardop te zeggen. Wat een held. Geef maar toe, jouw plan was waardeloos en ik had gelijk.'

'Het komt door jou.'

'Wat?'

'Het komt door jou.'

'Nu wordt-ie mooi. Ik heb die deur op slot gedaan? Het komt door mij? Jij was de man met het plan.'

'Ja, maar jij zei: wat als die deur op slot is, en daardoor is hij nu op slot.'

Rachel deed een stap terug. 'Heb jij spacecake gegeten of zo? Geef hem maar weer hier. Jij bent niet goed bij je hoofd.'

Jay liep door.

'Hé, de deur.'

'Er komen wel andere deuren.'

Vier hoeken later was er weer een deur. Ook op slot. Zonder een woord te zeggen liep Jay door. Precies vier hoeken later was er weer een. Alle deuren zagen er identiek uit.

'Misschien is het wel dezelfde,' zei Jay.

'Dat kan niet. We zijn verder gelopen. Dan kan het niet dezelfde zijn.'

'Jij weet niet wat hier wel en niet kan. We moeten weer een vlek op de muur maken.'

'Als jij nu gaat pissen, schop ik je zo hard dat...'

'Dat wat?'

Ze keken elkaar aan.

Hij kon in ieder geval terugkijken. Hij had de glits en dit waren zijn gangen. Hij hoefde zich niet te verstoppen of weg te rennen. Hij bleef recht in haar ogen kijken.

Dat duurde seconden, vijf, tien, vijftien. Al die tijd gebeurde er niets. Rachel keek en Jay keek onbewogen terug.

Als eerste keek zij weg, stapte naar de deur en gaf hem een enorme schop. Een geluid als van een gong weerkaatste door de gangen en kwam wat later in afgezwakte vorm als echo terug.

Rachel schopte nog drie keer en toen pas was er een kleine deuk in het metaal te zien. Dit waren geen slappe deuren.

'Zo laten geciviliseerde mensen hun sporen na,' zei Rachel en ze begon te lopen.

Dat was de eerste keer dat de glits grinnikte.

Vier hoeken later zat de deuk er nog. Dit had geen enkel geruststellend effect op Rachel.

'We zitten als ratten in de val.' Haar gezicht was bijna even wit als haar kleren.

Jay was de glits begonnen te strelen. Het had geen merkbaar effect op hem, maar Jay zelf voelde zich er krachtiger door.

'Geen paniek. Dan hoort het zo te zijn.'

'Waar slaat dat op?'

'Nou, het is toch ook zo.'

'Mijn god. Ik ben met een einstein op stap. Geef hem nu maar terug.'

Even wilde Jay weigeren, maar het zou haar zeker kalmeren, besloot hij. Zelf voelde hij zich geweldig. Onverslaanbaar. Niet door haar en niet door een dichte deur.

Zonder een geluid te maken ging de glits over van Jay naar Rachel.

'En wat nu? Man met het plan,' spotte Rachel. 'Lopen tot we een sleutel tegenkomen?'

Die woorden waren nog niet geheel haar mond uit of er begon iets te branden in zijn rechtervoorzak. De portefeuille van Maas.

De allereerste keer dat hij naar dit gebouw was gekomen. Via de buitendeur in die gymzaalmuur. Iemand had een pasje tegen het frame van die deur gehouden. Een zwart kunststof frame als dit. Een pasje... een buitenmuur...

'Dit is een deur naar buiten,' zei Jay en hij trok de bruinleren portefeuille uit zijn zak.

'O, en die sleutel heb jij!' De aanwezigheid van de glits had nog geen effect op haar sarcasme.

Jay reageerde niet en leegde de inhoud van de portefeuille op de grond. Hij begon op zijn hurken alle dingen te ordenen.

Zeven plastic kaartjes, twee briefjes van vijftig euro en een van twintig, twee visitekaartjes, wat rekeningen, een rijbewijs en een casinochip van honderd euro.

'Dat is niet van jou.'

Jay schudde zijn hoofd. Twee kaartjes vielen meteen af, een bankpasje en een creditcard. Er bleven er vijf over.

'Van wie is dat?'

Op één kaartje stond Steigenberger Kurhaus Hotel, op twee alleen een rode streep over de lengte, de andere twee waren van de ANWB en een golfclub.

'Van wie is dat?'

'Dat is even niet belangrijk.'

'Hoe kom je eraan?'

'Dat is ook niet...'

'Heb je het gerold?'

Iets in haar stem deed Jay opkijken. Ze had een stap naar voren gedaan.

Jay had al besloten niet het echte verhaal te vertellen. Dit meisje was zo gek als een deur, wie weet wat er dan zou gebeuren. Maar zakkenrollen...

'En heeft hij niets gemerkt?'

Jay schudde zijn hoofd. Nee, Maas had niets gemerkt. Zou nooit meer iets merken en dat dankzij...

'Jezus. Respect! Dat had ik niet achter je gezocht.' Ze bukte voorover om de naam op de creditcard te lezen. 'Maas, nota bene! Dubbel respect. Ik hou het geld wel.'

Haar vingers hadden de bankbiljetten bliksemsnel gepakt, opgevouwen en doen verdwijnen in de voorzak van haar witte, katoenen broek.

Jay had zijn mond open om er iets van te zeggen. Hij sloot hem ook weer. Hij had de deur en de twee pasjes met de rode streep om zich op te richten. Dat ging voor.

Jay stond op met een van de pasjes en hield het op ooghoogte tegen het zwarte kunststof rechts van de deur. Er gebeurde niets. Hij schoof het omhoog en omlaag. Niets. Hij probeerde het aan de linkerkant. Niets.

Hij bukte om het tweede te pakken. Als die het maar deed. Jay bleef staan. Hij wilde het er niet tegenaan houden. Hij voelde gewoon dat er niets zou gebeuren. Dat het zou mislukken. Als je van tevoren weet dat het gaat mislukken, waarom zou je dan nog...

'Waar wacht je op?'

Jay keek niet om. Het was Rachels schuld dat die deur dicht was. Als zij niet aan een gesloten deur gedacht zou hebben, dan... dan...

En wat was hij nu zelf aan het denken? Hij moest hier iets omdraaien. Hij moest de sleutel omdraaien. Hoe ze erover dachten.

Jay draaide zich om. Hij dacht niet dat hij dit alleen kon.

'Denk jij dat dit de sleutel is?' Hij hield het tweede kaartje omhoog.

'Hoe moet ik dat nou weten? Doe nou maar.'

'Nee, eerst wil ik weten of jij denkt dat dit de sleutel is.' Met duim en wijsvinger hield hij het plastic kaartje tussen hen in.

'Waar slaat dat op, jij bent echt...'

'Nee, ik zeg het verkeerd. Ik wil dat jij denkt dat dit de sleutel is.'

'Jij kan nog meer willen, ik ga niet...'

'Ik wil dat jij dat denkt. Dan denk ik het ook.' Jay bleef zachtjes praten, maar praatte toch uiterst krachtig. Als een samoerai.

'Wat denk je? Is dit hem?' De kaart hing tussen hun hoofden op mondhoogte als een schuifdeur. Jay bracht zijn ogen dichter bij de hare.

'Is dit hem?'

Rachel schokte met haar schouders. 'Oké.'

'Wat oké?' Jay keek haar recht in de ogen en voelde elk luchtmolecuul tussen hen in trillen. Als die kaart er niet was zouden hun monden nu wel gevaarlijk dicht bij elkaar zijn geweest. Dan zou hij misschien wel...

'Oké, het is hem.' Rachel stapte naar achteren. 'Dat is de kaart.'

'Precies,' zei Jay.

De luchtmoleculen trilden nog om hem heen toen hij zich omdraaide en op de deur afliep. Met een gracieuze zwaai bracht hij de kaart omhoog, zoals hij het zich voorstelde dat een samoerai het met zijn zwaard zou doen. Nooit op een gewone manier, maar altijd op uiterst sierlijke en daadkrachtige wijze.

Nog voor de kaart tegen het kunststof aan zat hoorde hij al klik. Gewoon klik. Niet iets verrassends. Gewoon zoals verwacht.

Jay duwde tegen de deur en die gaf mee.

Het eerste dat hij zag was een paardenbloem en toen gras. Er was een afstapje van bijna een meter en dan zouden ze in het gras staan.

Hij duwde de deur helemaal open. Nog meer gras. Een weiland. Vol paardenbloemen die hun zaadjes aan de wind wilden meegeven.

Hij keek om. Rachel keek naar de glits die zijn hoofd had opgericht en met zijn wangen heen en weer voelde alsof het de wereld zo in zich kon opnemen. Misschien voelde het een bries of een luchtdrukverschil. Jay kon niets voelen, ook al stond de deur open. Maar het verbaasde hem niet. Het was net als aan de andere kant. Die deur was er pas echt als je erdoorheen ging.

De glits strekte zijn arm nu ook. Alsof ze aansporing nodig hadden.

17

Een meter is niet ver om te springen. Maar toch, in een hobbelig weiland...

Jay had de portefeuille weer in zijn zak gestoken en was als eerste gesprongen.

Hij viel voorwaarts en ving zichzelf met knieën en handpalmen op in het gras.

Dit was echt gras: enkelhoog, prikkelend en geurend zoals alleen gras dat kan. Met onkruid ertussen en paardenbloemen, de meeste al in de vorm van een uitwaaiende pluizenbol. Maar het was gras. Dit was zonder enige twijfel de echte buitenwereld en waarschijnlijk voor het eerst in zijn leven gaf dat een schok van vreugde. Hij kon de grond wel kussen, de planeet of in ieder geval dit weiland omarmen. Maar daar had hij natuurlijk nu de tijd niet voor. Er moesten er nog meer naar buiten. Met een behendig sprongetje, waar de onderkaak van zijn gymleraar zo'n tien centimeter van omlaag zou zijn gevallen, kwam hij weer op zijn voeten terecht en draaide zich om.

Je kon ver kijken. Achter dit weiland lagen weer andere weilanden. In de verte was een bomenrij om aan te geven dat het wel een keer ophield, maar tot daar wuifde het geel en groen in de wind. Daaroverheen lag een witte waas van paardenbloempluisjes die het geheel een sprookjesachtige aanblik gaf. Alsof iemand met een enorme poedersuikerbus dit stuk aarde had willen opleuken. Terwijl dat helemaal niet nodig was.

Maar verder zag hij niets.

Geen deur. Geen gebouw. Geen Rachel. Geen glits.

Jay schuifelde als een schaakstuk naar voren, naar achteren, opzij... Waar hij ook stond, er was geen scheur in de lucht te zien. Geen glinstering om aan te geven dat daar... dat vandaar...

'Hallo,' riep hij. 'Kom dan.'

Misschien stond hij in de weg. Met duidelijke passen liep hij tien meter weg en kwam toen toch maar terug omdat hij bang was dat hij de plek zou kwijtraken.

'Spring dan.'

Dit was niet leuk meer. Dit deed ze expres.

'Waar wacht je op?'

Hij stampte het gebied waar hij was neergekomen helemaal plat zodat er geen verborgen kuilen zouden zijn. En ook zodat hij zou weten waar het was. Hij schopte de paardenbloemen weg, trok gras kapot en plette alles wat geplet kon worden. Langzaam ontstond er een cirkel om hem heen. Het leek een landingsbaan voor een miniatuurhelikopter.

Hij ging net buiten de cirkel op zijn hurken zitten wachten met steeds een andere grasspriet tussen zijn lippen. De tijd verstreek tergend langzaam, als het opensnijden van een wond.

Zou ze omgekeerd zijn? De verraadster! Of zou ze in een ander weiland terechtgekomen zijn en zich afvragen waar hij was?

Hij ging staan en speurde de horizon af. Niets te zien, maar het was niet met zekerheid te zeggen. 'Rachel!' riep hij zo luid hij kon.

Wat had het voor zin in deze wind?

En niet alleen de wind maakte geluid, het was net of het hele weiland gonsde als een oude koelkast. Een penetrante zoem die soms afwezig leek, maar als je het dan weer hoorde werd het steeds duidelijker. Het kwam en het ging.

Het bleef in je oorschelpen hangen, tot je...

Jay drukte zijn handen tegen zijn oren. Hij werd gek. Hij wachtte hier al zo lang... en hij kon natuurlijk nergens heen. Wat kon hij doen? Als hij af en aan druk op zijn oren zette kwam er een ritme in het gonzen. Hij begon rondjes te lopen op zijn zelfgemaakte landingsplatform en had het gevoel dat hij met zijn handen zijn hersens als een tol kon ronddraaien, sneller en sneller. Als het toch moest gonzen maakte hij zijn eigen gons wel. Zijn handpalmen persten de lucht in en uit zijn hersenpan.

Hij wist dat dit niet goed voor hem kon zijn, maar hij kon niet stoppen. Sneller en sneller maakte hij rondjes en het geluid in zijn hoofd werd harder en harder. Tot alles zo snel rond leek te tollen dat de wereld los begon te komen. Toen hield alles op. Hij voelde niet meer hoe hij languit op zijn rug viel, in het midden van zijn eigen, groene graancirkel.

Toen hij bijkwam, waren ze er.

Rachel zat rechtop in het gras. De glits zat vlak voor haar en hield zijn gezicht tegen enkele grassprieten aan.

'O, hij is wakker hoor,' zei ze toen Jay een beetje overeind kwam. 'Eén sprongetje en meneer moet slapen. Wat een slappe hap.'

'Maar...' Jay steunde op zijn ellebogen. Ze waren er en verder was er niets te zien dan weiland.

'Hoe kan... Waarom duurde het zo lang?'

'Lang? Nou, omdat meneertje niet hielp en precies ging liggen slapen waar wij eruit wilden. Was je alweer vergeten dat er ook anderen uit wilden? Egoïst.'

'Jezus, ik heb uren op jullie gewacht. Ik werd helemaal gek.'

'Eerst kon ik niet springen omdat de gang van kleur veranderde. Toen jij eruit sprong werden alle muren rood. Daar schrok hij van.' Ze aaide het wezen lichtjes over zijn rug. 'En daarna lag jij in de weg.'

'De muren werden rood?'

Rachel knikte. 'Het stond beter dan wit, maar hij vond het heftig.'

Jay keek naar de totale vreedzaamheid en gelukzaligheid waarmee het wezen in contact trad met de grassprieten, de paardenbloemen, de aarde en het onkruid. Hij kon zich niet voorstellen dat de glits wat dan ook als heftig kon ervaren. Hij kende wel iemand die de hele tijd dingen als heftig ervoer en dat was die kernraket op Dr. Martens die naast hem zat.

'De muren veranderden, oké, maar moet je daar dan uren naar kijken?'

Rachel negeerde hem. 'Waar is het gebouw eigenlijk en zitten ze achter ons aan?'

Jay keek om zich heen. 'Ik weet het niet. Er is alleen weiland. We zijn een stuk verderop, denk ik.'

'Tjonge, je had wel even op onderzoek uit kunnen gaan in plaats van te liggen zonnen.'

'Ik... ik wist niet dat het zo lang ging duren.'

'Dus besloot je niks te gaan doen. Nietsnut.'

'Hé, het zijn wel mijn plannen die ons eruit gehaald hebben. En mijn gangen.'

'O ja? Nou, misschien werden ze wel rood omdat het al die tijd mijn gangen waren en ik jou, wij jou, helemaal niet nodig hebben.'

Jay keek haar verbaasd aan. 'Je zou weleens gelijk kunnen hebben.'

'Dat we jou niet nodig hebben?'

'Nee, dat de gangen rood werden omdat het jouw gangen werden.'

Nu bleef er een stilte hangen die nog ongemakkelijker was dan geruzie.

'We hebben iets.'

Victor stond in de deuropening van Kleins kamer. Het was aan hem te zien dat hij weinig slaap had gehad de afgelopen dagen. Zijn wangen waren dikker dan normaal en zijn ogen waren verder weggezakt. Zijn stem was echter helemaal aanwezig. Die klonk zo opgewonden als Victor kon worden.

'Wat?' Klein zat met een telefoon aan zijn oor achter zijn bureau. Hij deed zijn hand over het mondstuk.

'Een signaal. De trui van die jongen. Zoals de journalist zei.'

'Na drie dagen? De hele wereld valt zo'n beetje over me heen en nu komen ze hun holletje uit. Kunnen we het signaal vertrouwen? Waarom is het er drie dagen niet geweest?'

'Valt niet te zeggen. Je kunt alleen gaan kijken.'

'Waar?'

'Een weiland bij Gouda. In de buurt van de A12.'

Klein drukte het gesprek weg en belde meteen een ander nummer. 'Svensson, we gaan vliegen. Over tien minuten bij het toestel.'

Lopen door weilanden maakt dorstig.

Jay likte zijn lippen en vroeg zich af wanneer hij voor het laatst gedronken had. Of gegeten, zijn honger mocht er ook zijn.

'Heb jij ook zo'n dorst?'

Rachel stopte, omdat er nu ook witte bloemen in het weiland waren en de glits wilde die zien, of Rachel wilde ze aan hem laten zien, daar leek geen verschil tussen te zijn.

'Ik vraag me af of het zin heeft om naar die snelweg te lopen,' gaf ze als antwoord.

'Snelweg?'

'Ja, hoor je dat niet?'

Dat gonzen dat af en toe aanzwol en weer wegviel. Langsrazende auto's. Het zou kunnen. Het geluid was er lelijk genoeg voor. Had hij dat als jongen niet als eerste moeten opmerken?

'Ze hebben toch benzinestations,' probeerde hij het goed te maken.

'Ja, met veertig kilometer ertussen.'

'Als wij nu maar denken dat ze heel dichtbij zijn.'

Ze tilde de glits weer op die met moeite afscheid nam van een roodkleurige grasstengel die hem nog lang nawuifde in de wind.

'Dat werkt misschien in die rare gang van je, maar niet in de echte wereld.'

'Dat weet je niet,' zei Jay en hij liep verder met iets van een huppel in zijn pas. Omdat zij toegaf dat dat denken in de gang gelukt was. En dat het zijn idee was geweest.

Dus liep hij verder terwijl hij de binnenkant van een benzinestation voor zich probeerde te zien met koelkasten vol gekoelde drankjes en schappen vol eetbaars. Tot ze niet meer verder konden. Een sloot.

'Shit,' zei Jay.

'Ja. Shit.'

'Weet je wat wel grappig is?'

'Nee, wat kan hier grappig aan zijn?'

'Ik loop aan drinken te denken en dan komt er een sloot.'

Rachel keek opzij. 'Een sloot heeft niets met drinken te maken.'

Ze liepen langs de sloot in de richting van het geluid van de snelweg. Tot er weer een sloot kwam.

'Is dit een eiland of zo?' zuchtte Rachel.

Jay keek naar het bruingroene water dat voor de helft bedekt was met kroos. 'Ik ga drinken,' zei hij. 'Ik heb dorst.'

'Je bent gek. Dan word je ziek.'

'Welnee.'

'Denk maar niet dat ik op je wacht. Ik laat je gewoon achter, hoor je me?'

'Dat weet ik,' zei Jay en hij kroop op handen en knieën naar de waterkant. 'Daarover maak ik me geen enkele illusie.'

'Doe niet zo stom.'

'Ik ging net bijna dood van de dorst en toen verscheen er een sloot.'

'Hoe gestoord kun je zijn? Die sloot verspert ons de weg.'

'Dat dacht ik ook, maar nu zie ik het als een cadeautje.'

'Drink maar. Je bent al ziek.'

'Omdat ik er wat van probeer te maken?'

'Omdat je dom loopt te roepen dat alles goed is en ondertussen uit een sloot drinkt. Alles is niet goed. *Wake up*. De wereld is kut.'

Jay pakte de houten rand die het weiland weiland moest houden en de sloot sloot. Hij trok zichzelf naar het water toe. Toen zijn hoofd over het water hing duwde hij met één hand het kroos opzij en liet zijn lippen voorzichtig in het water zakken. Lauw, slijmerig, maar water.

'Dit gaat fout,' zei Rachel.

Jay lachte en schoof wat verder. 'Het gaat alleen fout als je het...'

Met gekraak kwam de houten plank waar Jay op steunde los, waardoor hij ineens vijftig centimeter naar voren schoof. Vijftig centimeter is op zich geen grote afstand, maar als je net op dat moment met je lippen op de waterspiegel zit is vijftig centimeter echt enorm.

Jay verdween tot aan zijn schouders in de sloot. Bij zijn spartelingen om weer omhoog te komen trok hij de plank nog een stuk los waardoor hij weer kroos hapte. Toen hij eindelijk in zijn geheel op de kant lag werd hij zich bewust van een gehinnik dat hij pas kon plaatsen toen hij zijn ogen had schoongemaakt en zag dat zowel Rachel als de glits in een deuk lagen.

De glits lachte hardop!

'Zo, blije aardbei, vertel maar eens even wat daar nou goed aan was.'

Jay haalde zijn vingers door zijn haar en veegde het kroos af aan het gras.

'Ach, jullie lachen.'

'Lachen je uit!'

'Jij misschien, maar hij niet.'

Nu had Rachel pas door dat de glits lachte. Daar werd ze stil van.

Ze zaten aan de waterkant en Jays haren droogden in de wind. Naast het overgebleven kroos kreeg hij er nu paardenbloempluisjes bij, die zich dankbaar op zijn hoofd nestelden, ervan overtuigd dat ze een vruchtbare plek gevonden hadden. Hij zag er vast stom uit, maar dat interesseerde hem op dit moment helemaal niet.

Hij keek hoe een roofvogel boven het volgende weiland hing. Ontspannen en toch alert. Meedeinend op de wind, maar ook moeiteloos zijn eigen koers kiezend.

'Normaal ben ik geen blije aardbei. Verre van. Ik ben meer als jij. Ik snap andere mensen niet. Waar ze over willen praten. Dat ze bestaan. Weet je, ik snap eigenlijk niet dat andere mensen bestaan. Ik bedoel, waarom zijn ze er? Wat moet ik ermee? Ze hebben zo ontzettend niets met mij te maken, dat kan ik niet eens uitleggen. Ik heb meer met die vogel bijvoorbeeld. En die vogel ook meer met mij.'

'Ja, maar je bent ook...' begon Rachel.

'Wacht. Ik wil even wat proberen te zeggen, ook al zeg ik het vast verkeerd. Wat ik zeggen wil is dat door die gangen er iets veranderd is. Ik denk dat die gangen echt mijn gangen zijn en dat die echt naartoe gaan waar ik wil dat ze naartoe gaan. Dat is een gek gevoel. Dat er kan gebeuren wat ik wil dat er gebeurt. Mijn hele leven gebeurt er wat ik niet wil. Als je dan ineens in die gangen komt is dat even wennen. Maar nu begrijp ik dat die gangen van mij zijn en niets met andere mensen te maken hebben. Ze kunnen dus niet afgepakt worden. Begrijp je? Niemand kan dit van mij afpakken! Daarom lijk ik ineens een blije aardbei. Maar ik ben gewoon een jongen die zijn eigen gangen heeft ontdekt. Meer niet.'

Jay keek opzij. Hij sprak niet vaak zoveel woorden achter elkaar en hij wist niet of wat hij bedoelde duidelijk was. Woorden hielpen niet altijd. Hij voelde zich wel helemaal open, helemaal los, alsof elk spiertje in zijn lijf in de ruststand stond.

'Dus jij wilde in dit weiland terechtkomen?'

'Ja. Blijkbaar.'

'En waarom kon ik dan in jouw gangen?'

Jay knikte naar de glits, die ontdekt had hoe het de zon door zichzelf heen op de grond kon laten schijnen en zich daarmee vermaakte. 'Door hem, denk ik.'

'Dus ik heb mijn eigen gang. Die rode.'

'Dat denk ik, ja.' Jay voelde zijn spieren weer aanspannen. Hij kon nog niet over Maas praten.

'Ik weet wel waarom ze rood waren, die muren,' zei Rachel.

Jay keek opzij. 'Echt?'

'Ja, ik... ik ben bijna zestien en ik ben nog steeds niet ongesteld geworden. De dokters snappen het niet. Dat gebeurt gewoon weleens. Vandaar.'

'Vandaar?'

'Vandaar dat die muren rood zijn.'

'O... vandaar.' Het kriebelde in Jays buik. Die kriebel kwam omhoog. Hij wist dat dat niet goed was. Hij wist dat zij serieus was, bloedserieus, en toch probeerde er een lachbui naar boven te komen.

'Rachel, sorry.'

'Sorry wat?'

'Dat ik moet lachen.'

'Je lacht niet.'

'Nee.' Jay leek zelf verbaasd. 'Ik ben opgelucht denk ik.'

'Hoezo opgelucht?'

'Ja, ik... Ik was bang dat je allerlei mensen had vermoord of zoiets.'

'Wat?'

'Ja, het slaat nergens op.' De lach kwam eruit. Het werd een zenuwachtig lachje. Dat niet goed viel.

'Jezus, wat denk je wel niet?'

'Sorry, maar eh... Hoe erg is dat dan? Ongesteld zijn is toch geen pretje? Dat is toch heel...'

'Kut?'

'Kut, ja.'

Rachel gooide een kluitje tussen het kroos. 'Ik zou het niet weten.'

Jay zocht ook naar een kluitje maar vond niets. Hij wilde dat hij haar kon opvrolijken. 'Het is ook geen woord, hè...? Ongesteld. Ik bedoel: Hoe is het met je gesteld? Ongesteld. Ontsteld kan ik me nog voorstellen, maar ongesteld? Jij bent dus eigenlijk on-ongesteld.'

Rachel keek niet op.

Jay deed er nog een schepje bovenop.

'Ik zou er een rap op kunnen maken. On on on on-ongesteld.'

Geen reactie.

Jay ging gewoon door.

on on on on...
on-ongesteld
on-ongesteld
je staat versteld
dat dit wordt verteld
een verhaal zonder held
een baan zonder geld
hier zit een meisje dat is on-ongesteld
on-ongesteld
zittend in het veld
moet haar ziel afgepeld?
ze laat het niet lopen
ze is on-ongesteld
muren krijgen kleuren
minuten worden uren
wie kan het verduren?

ze is on-ongesteld
ik heb het voorspeld
ze gaat lekker niet veranderen
dus geef je vinger aan de Welt
on-ongesteld
geef je vinger aan de Welt
on-ongesteld
geef je vinger aan de Welt.
on-ongesteld
geef je vinger aan de Welt.

De laatste regels bleven zich herhalen. Jay was gaan staan en gaf enkele van zijn twaalf variaties van de vinger aan de wereld geven. Rachel bleef zitten, al leek het of ze een beetje meedeed. Ze gaf in ieder geval de vinger aan de sloot, het weiland, Jay en het universum. In die volgorde.

Jay plofte naast haar.

'De Welt?' zei ze.

Jay lachte schamper. 'Het enige woordje Duits dat ik geleerd heb. Ik sta een drieënhalf.'

'Jij bent echt een rare, weet je dat?'

'Ik weet het.'

'Het is gek. Toen ik je voor het eerst zag leek je zo serieus en op slot. Dat ben je ook wel, maar... ook niet.'

Jay keek even hoe de glits met zijn wangen de wind bestudeerde en ging vervolgens languit achteroverliggen.

'Ik ben meer als die adelaar daar. De hele tijd niks en dan ineens...'

'Dat is geen adelaar, klojo, dat is een havik.'

'Oké, dan ben ik meer als die havik.'

Ze zwegen en volgden de havik met hun ogen. De dag was over zijn warmste periode heen. De wind was nog sterk, maar op deze glooiing naar de sloot voelde je hem minder.

Jay liep in zijn hoofd hun gesprek na. Het was best bijzonder geweest.

Zo had het gevoeld.

Zo voelde het nog.

Hij wilde niet dat het bijzondere wegging. Dus moest hij nog iets dieps of bijzonders zeggen. Of iets bijzonders aan haar vragen. Niet zomaar iets.

'Dan kun je ook geen kinderen krijgen.'

'Wat krijgen we nou? Flikker jij effe een heel eind op.'

'Nee, ik bedoel...'

'Rot op, man. Waar bemoei je je mee?'

'Nee, ik...'

'Griezel.'

'Hé, ik heb een woord in mijn arm gesneden omdat ik dat zelf nooit wil.'

'Nee, dat maakt je normaal.'

'Shit. Kijk dan. Ik wil zelf nooit kinderen. Hier.' Jay ontblootte zijn bovenarm en stak hem uit naar Rachel. Die keurde hem geen blik waardig.

'Kijk nou.'

Ze keek, schudde met haar hoofd en zei: 'Je bent nog triester dan ik dacht.' Ze stond op.

Jay wist niets terug te zeggen. Met zijn andere hand ging hij op zoek naar de hem zo vertrouwde littekens. Hij schrok. Met een krampachtige draai probeerde hij de achterkant van zijn bovenarm in beeld te krijgen.

Er zat niets. De huid was gaaf.

Voor de zekerheid checkte hij zijn linkerarm, maar er was niets te voelen of te zien. Zijn littekenwoord was verdwenen.

Lang had Jay niet om zich daarover te verbazen, want het gezoem van de snelweg zwol aan alsof de auto's nu door de lucht naar hen toekwamen. Toen hij achteromkeek bleek dit nog min of meer te kloppen ook.

De Dienst Speciale Operaties van Harold Klein had beschikking over twee soorten helikopters. De Italiaanse Agusta Bell 412 met een reikwijdte van achthonderd kilometer en een topsnelheid van 260 wel kilometer per uur en de veel lichtere Franse Gazelle SA 342 die niet zo hard kon en niet zo ver, maar nagenoeg overal kon landen.

Svensson en Klein benaderden het drietal van achteren in de Gazelle zodat ze zo lang mogelijk niet gezien werden. Dat was meer een gewoonte dan een noodzaak, want van bovenaf was duidelijk te zien dat de vluchters geen kant op konden. Dit was geen binnenstad met huizen, steegjes of kelders waar ze zich konden verstoppen. Een open weiland met binnen een straal van vijf kilometer alleen twee boerderijen en een benzinestation. Waar konden ze heen?

18

Klein wees een plek aan zo'n dertig meter vanwaar het drietal aan de slootkant zat. 'We hoeven ze niet de sloot in te blazen,' zei hij in de microfoon van zijn headset.

Svensson knikte en boog de joystick naar voren.

Rachel had de glits in haar armen en riep iets naar Jay.

Jay stond aan de waterkant tegen de losse plank te schoppen.

'We moeten rennen!' gilde Rachel over het geraas van de Gazelle heen.

Jay schudde zijn hoofd. 'Waarheen? Rennen heeft geen zin. Help mij liever.'

Met zijn hiel trapte hij tegen de plank zonder dat er iets gebeurde. Rachels zware schoenen, moordwapens of niet, hadden de plank zo los. Jay haalde hem uit het water, bijna vier meter aan dunne plank. Hij paste over het water, maar het was te smal, te slap en te gammel om er overheen te kunnen lopen.

'Dit is zinloos,' zei Rachel.

'Kom op.'

'Als jij denkt dat ik...'

Jay hield zijn armen uit, want de glits sprong uit zichzelf over. Het sprong. Het zweefde zelfs even in de lucht, voordat het op Jays borst landde en zich vastklampte.

Natuurlijk had Rachel gelijk. Het zielige houtje over het water zou nog net een eekhoorn houden, maar dan had je het ook wel gehad. Twee eekhoorns zou al te veel zijn. En toch...

Jay stapte eropaf.

‘Het houdt niet,’ riep Rachel.

Jay keek achterom. ‘Daar ga ik niet bij stilstaan,’ zei hij. De helikopter was geland en nu zag hij de grote vorm van Svensson hun kant op rennen met Klein op een iets beschaafder tempo erachteraan.

‘Sterker nog, ik ga helemaal niet stilstaan.’

Jay liep. Kleine, lichte pasjes, zoals in die Chinese vechtfilms als ze langs muren en bomen omhooglopen.

Het was alsof zijn longen, nee zijn hele borstkas, met helium gevuld was. Hij had zijn voet nog niet neergezet of hij kon hem alweer optillen. De eekhoorns zouden trots op hem zijn. De plank boog door in een uiterste inspanning om hem nat te krijgen, maar hij was alles een stap voor. De zwaartekracht, de oppervlaktespanning, het doorverend vermogen van het hout. Alles was hij dat ene stapje voor en alsof hij over het water zelf liep schreed hij naar de overkant.

Even dacht hij in een flits een eekhoorn te zien die daar op hem wachtte, maar het was een haas die zich platmaakte tegen de grond, tien meter vanwaar Jay op de wal stapte.

Jay keek om.

Rachel wist haat en opluchting in één blik te mengen. Ze keek achter zich, zag hoe dichtbij Svensson was en zette één voet op de plank. Toen nog een. Haar voorste Dr. Martens zakte meteen weg.

Ze keken elkaar aan. Zij zou hem meteen achtergelaten hebben. Jay wist ook dat hij geen keus had. Het ging allemaal om de glits. Maar hij wilde haar laten weten dat dat voor hem niet vanzelfsprekend was. Dat hij liever samengebleven was. Dat zij, hoe irritant en onbeholpen ook, wel bij hen hoorde. Maar hoe leg je dat allemaal uit in één blik die ook nog korter dan een seconde moet zijn?

Het lukte Jay niet en daarom nam hij nog een seconde of twee om haar naam te roepen en een halfhartige zwaai te geven. Dat had hij niet moeten doen. Want de glits die net de zweefduik van borst naar borst ontdekt had, maakte er meteen gebruik van om zich af te zetten en zich via een tussensprong op de plank weer bij Rachel op de borst te nestelen.

'Nee!' riepen Rachel en Jay tegelijk, maar het was al te laat.

Svensson had het ook gezien en trok zijn pistool, terwijl hij van een sprint terugviel naar wat eigenlijk alleen maar ontspannen joggen genoemd kon worden. Zijn doelwit was nabij.

Jays eerste impuls was teruggaan over de plank, maar dat sloeg nergens op. Ten eerste voelde hij aan dat hij zonder de glits minder heliumeffect zou hebben en dus waarschijnlijk na vier stappen diep in de plomp zou belanden. Ten tweede, en veel belangrijker, was dat ze juist weg moesten, niet terug.

'Kom dan!' brulde hij.

De haas maakte een zenuwachtige beweging. Normaal was ze allang weggerend, maar ze had slapende jongen. Zo dadelijk zou ze wel moeten wegsprinten en dan zou ze die opgewonden wezens daar weglokken van haar nest. Wat had ze zich vergist in deze locatie, zeg. Ze had gedacht dat het lange gras haar kroost veilig zou houden van roofvogels, maar dit…

Rachel wachtte nog steeds. Jay kon het niet geloven. Wat had ze nu voor keus? Hoeveel aansporing kon een mens nodig hebben? Snapte ze niet dat de glits haar kwam halen? Dat hij haar naar de overkant kon helpen? Ze moest het nu alleen nog doen. Dat was het enige wat zij hoefde te doen – in beweging komen – en nog verklooide ze het. En daarmee verklooide ze alles. Het was alles of niets!

'Kom dan, kut!' De woorden waren zijn mond uit voor hij er erg in had. Het had wel effect.

Rachel keek verstoord op. En begon bijna meteen te lopen. Niet zo elegant als hij, en ze zou echt niet door de audities voor een Chinese vechtfilm heen zijn gekomen. Maar ze liep. Het water kwam tot aan haar enkels en ze bleef lopen. Jay wilde haar hand pakken en haar over het allerlaatste stukje heen helpen, maar ze moest er niets van weten. Met twee grote passen stond ze aan de kant.

'Blijf staan of ik schiet!' riep Svensson die bij de slootkant was aangekomen.

'Hou hem achter je,' zei Jay en hij ging voor Rachel en de glits staan. Zien dat er een pistool op je gericht werd gaf wel een bijzonder gevoel. Stom genoeg vond hij het wel een lekker gevoel. Het maakte je wel belangrijk.

'Loop weg en zorg dat hij buiten beeld blijft.' Jay was zelf verrast hoe kalm zijn stem klonk.

Zo gezegd, zo gedaan en de twee schoten die Svensson in het gras vlak bij hun voeten loste, sterkten Jay in zijn overtuiging dat ze alleen de glits mochten raken.

De moederhaas vond het te veel worden. Ze besloot haar jongen over te laten aan de bescherming van het hoge gras en zigzagde door het veld alsof zij de schietschijf was. Rachel, Jay en de glits volgden haar, al had alleen de glits de haas daadwerkelijk gezien.

'Ik kan springen,' zei Svensson.

Klein schudde zijn hoofd. 'Haal die plank weg en zet ons er met de helikopter overheen. Anders zit ik hier vast. Maar schiet op, we moeten ze hebben voordat ze bij de snelweg zijn.'

Svensson haalde zijn schouders op. Daar hoefden ze niet voor op te schieten. Dat was zeker nog vijf minuten lopen en in een halve minuut kon hij erheen vliegen. Hij trok de plank naar de kant en wenste dat hij weer een echte klus kreeg en niet een waarbij hij kinderen en mislukte mongooltjes uit een weiland hoefde te halen. Dat zelfs deze simpele klus nog niet volbracht was ontging hem op dit moment, omdat de vluchters in zijn hoofd echt geen enkele kans hadden.

De havik had de wegrennende haas gezien. Door het lawaaiige vliegapparaat was de vogel een weiland verder gaan vliegen maar de opzichtige ren van de haas had zijn aandacht getrokken. Instinctief wist hij dat als een haas zo opzichtig rent het een nest wil beschermen. Er zaten dus jonge haasjes ergens in dat hoge gras. Maar waar?

Het lawaaiige vliegding steeg op van de grond, van dit apparaat moest de havik niets hebben, totdat het moment kwam waarop duidelijk werd waar het goed voor was. Het vliegding blies al het lange gras plat. Met haviksogen volgde het beest deze truc. Dat was zo slecht nog niet. Nog voor het apparaat boven de sloot hing zag de havik het hazenleger met de drie nog levende jongen erin. Zelfs de oren van de jonge diertjes werden door de wind naar achteren geblazen.

De havik vouwde zijn vleugels in en maakte zich op voor zijn favoriete deel van het havikbestaan: het afremmen op een hazenrug. Echter, onderweg naar dat hazenruggetje kwam de havik in contact met een onderdeel van dat vliegding en dat had voor allebei nogal wat consequenties. Voor de havik betekende het het einde van de dag, van alle dagen eigenlijk. En voor de hefschroef van de helikopter betekende het een kleine deuk, waardoor de druk veranderde en het toestel zo'n drie meter uit de lucht viel voordat de piloot het kon corrigeren.

Dit zou geen groot probleem geweest zijn, ware het niet dat ze op dat moment slechts drie meter hoog vlogen. En nog zou dat niet echt een probleem hoeven te zijn, want de Gazelle kan best een stevige landing aan, maar op dat moment vlogen ze net boven de sloot en daar moet je zelfs met een Gazelle SA 342 niet proberen te landen. Het toestel viel eerst achterover en toen zijwaarts, waarbij de klap die de hefschroef op de kant maakte deze niet alleen deed afbreken, het zorgde er ook voor dat het toestel verwrong waardoor de linkerdeur niet meer open kon. Daardoor duurde het een kwartier voordat

Klein en Svensson goed doorweekt naast hun wrak in het weiland stonden.

Ondertussen ontstond een file op de A12. Iedereen wilde dit beeld weleens goed in zich opnemen.

Ze waren over de vangrail geklommen en liepen nu op de vluchtstrook met het verkeer mee. Dat raasde niet eens zo hard voorbij, omdat de auto's eerst in de file hadden gestaan zodat de inzittenden zich konden vergapen aan de nogal ongelukkig gelande helikopter.

Een verkeersbord met een benzinepomp en daaronder '5 km' vertelde hun precies hoe ze ervoor stonden.

'Had je hem niet wat dichterbij kunnen denken,' zei Rachel.

Jay reageerde niet. Hij was nog vol met adrenaline: de ontsnapping, het beschoten worden, de helikoptercrash. En dan was er nog iets… Hij kon dit! Hij liep hier met de glits en Rachel, vijf kilometer van een benzinepomp die hijzelf daar gedacht had en wist van zichzelf, hij, Jay, kon dit... hij kon de wereld aan. Jay stak een duim omhoog. Naar de wereld, naar zichzelf en naar de voorbijrijdende auto's.

Een kampeerbusje met een Duits kenteken kwam vlak voor hen de vluchtstrook op met allerlei armen uit de ramen die hen toewuifden om in te stappen. Jay grijnsde… hij kon dit echt.

Het busje was aan de zijkant met graffiti beschilderd. Wat het precies was, kon Jay niet zien maar een handgranaat en een mes waren nog wel te onderscheiden. Normaal gesproken zou Jay niet ingestapt zijn, wie weet wat voor lui hierin zaten? Maar normaal gesproken zou hij hier ook niet lopen… wat was nog normaal?

Er hing een sterk geurende sigarettenrook in de cabine en twee jonge mannen, met meer piercings dan haar, grijnsden hun maniakaal toe vanaf de voorbank.

'Kommt ihr aus dem Hubschrauber?'

'Seit ihr abgestürzt?'

Jay keek opzij. Rachel probeerde in haar jasje de glits uit beeld te houden. Hij moest de aandacht van haar weg houden.

'Ja,' zei Jay en hij knikte daarbij enthousiast.

'Was ist passiert? Kein Benzin mehr?' De jongen aan de passagierskant van de voorbank lachte om zijn eigen woorden. Daarbij werd een rij bruine tanden zichtbaar waarvan er al twee ontbraken.

'Een vogel,' zei Jay.

'Ein Vogel?'

Jay zag dat Rachel hem verbaasd aankeek. 'Wat?'

'Je praat weer.'

'Hoezo?'

'Nou, je praat.'

'Ik praat toch altijd.'

'Nee, maar je begrijpt ze en zij begrijpen jou.'

'Sollen wir auf diese Leute warten?' De bestuurder wees naar het weiland waar nu twee mannen te zien waren die richting de snelweg kwamen.

Tegelijk schudden Rachel en Jay hun hoofd.

'Niet warten,' zei Jay.

'Je spreekt zelfs Duits,' fluisterde Rachel.

Het busje reed alweer op volle snelheid, maar de jongen op de passagiersstoel bleef achteromkijken, ongegeneerd geïnteresseerd in wat ze binnen hadden gehaald. Het wezen voelde die interesse wellicht en wilde de jongen een handreiking doen. In letterlijke zin. Vanuit het jasje van Rachel kwam een haast transparante hand.

'Krucifix! Was ist das?'

Met een mengeling van fascinatie en walging keek hij naar wat er nog meer uit het jasje tevoorschijn kwam. Jay trok zijn trui van zijn middel om iets te hebben om de glits af te dekken, maar het was al te laat. De glits reikte met trillende arm naar de voorbank.

De jongen gilde, met wijd open mond.

Hierop gaf de bestuurder een wilde ruk aan het stuur. Dat hielp geenszins om de boel tot bedaren te brengen. Ten eerste begonnen de andere passagiers ook geluid te maken omdat ze hard opzij vielen en ten tweede kwam een blauwe Renault Mégane toeterend langszij waarbij de inzittenden afwisselend naar hun voorhoofd en het busje wezen. Een van hen had het raampje omlaaggedraaid en gaf een rijdende versie van de dubbelklassieker die Jay, zeker op inzet en oprechtheid, volle punten gegeven zou hebben.

De twee Duitsers leken zich comfortabeler te voelen bij de snelwegoorlog die aan het ontstaan was dan met wat er op de achterbank zat. Met een snijbeweging, getoeter en het toewerpen van lege bierblikjes, waarvan afdoende voorraad bij hun voeten bleek te liggen, deden zij de volgende zet.

De Nederlanders in de Mégane wisten vervolgens een dartpijltje door het open raam naar binnen te werpen. Ook al werd niemand geraakt, het werd gevierd als een overwinning. Wat gezien de moeilijkheidsgraad van het gooien vanuit een voertuig dat bijna honderd kilometer per uur rijdt naar een voertuig dat dat ook doet, enigszins te begrijpen is. Dat de Duitsers daarna de volle bierblikjes zouden pakken had natuurlijk niemand verwacht, zelfs de Duitsers niet.

Het eerste belandde via de motorkap van de Mégane op het wegdek alwaar het schuimend uiteenspatte. En of het tweede daadwerkelijk door de voorruit heen zou zijn gegaan zoals de werpers intentie was, zullen we nooit weten, want een galmend geluid deed hem stoppen. Een geluid alsof duizend schoolkinderen over een lege fles heen bliezen en daarmee een golf van geluid veroorzaakten, een geluid dat overal doorheen ging, door bus, borst en ego. Alles werd blootgelegd. Alles mocht. Alle pijn mocht er zijn. Niemand hoefde meer ergens tegen te vechten.

Het viel niet te zeggen waar het geluid vandaan kwam en toch draaiden alle ogen naar Rachels borst. Ook haar eigen ogen.

De glits had zijn mond open en nog altijd zijn arm uitgestrekt. Het verkende met geluid de ruimte om hem heen, of meer dan de ruimte, de intenties, de consequenties, de complicaties.

Jay kende deze kant van het wezen niet echt. Al moest hij terugdenken aan die keer dat ze in de Veluwe in hun bus...

'OGOTTOGOTT! Was ist los?!'

Met piepende banden schoot het busje de weg af en de vluchtstrook weer op. De Mégane naast hen toeterde nog als afscheidsgroet of als verwensing terwijl hij rechtdoor verdween.

Twintig seconden later piepten de banden weer omdat het busje optrok, Rachel, Jay en de glits op de vluchtstrook driehonderd meter van het Shell-station achterlatend.

Op zich kon het niet beter. Ze waren weg van die idioten en bijna bij het benzinestation. Toch keek Jay met iets van weemoed het busje na. Alsof hij iets ging missen, alsof er nog iets van hem daar...

'Mijn trui...' Hij sloeg met vlakke hand tegen zijn borst, nu slechts bedekt door zijn T-shirt.

Noch Rachel noch de glits reageerden.

'Mijn trui ligt nog in het busje,' verduidelijkte Jay.

Rachel begon te lopen richting benzinestation. 'Moet je maar op je spullen letten.'

'Ja, maar hij lag bij jou op schoot, jij...'

'O, o, o, wat is alles wat meneer meemaakt belangrijk. Dit is geen schoolreis, hoor.'

Er zat niets anders op dan achter hen aan te hobbelen.

***

'Hier, hou jij hem vast. Ik ga de winkel in.'

'Maar dat wil hij toch juist allemaal zien.'

'Blijven jullie maar om de hoek staan.'

'Koop voor mij...'

Ze liep al weg met een opgestoken hand. 'Laat dat maar aan mij over.'

Jay leunde tegen een blinde muur die de zijkant van het benzinestation vormde. Witte bakstenen met zwarte groeven en saai asfalt en gras aan de andere kant, niet echt leuk om naar te kijken. Voor de glits niet, voor niemand niet. Ze gingen op het hoekje staan.

Onder de rood-gele luifel was er van alles te zien. Mensen stonden naast hun auto met een slang in de hand op heuphoogte en tuurden dromerig in de verte. Of ze keken juist vol concentratie naar de getallen die versprongen op de display boven de pomp. Mensen liepen af en aan. Er kwamen auto's, vrachtwagens, motorrijders bij en gingen ook weer weg. Het stilstaan en in beweging zijn werd continu afgewisseld zodat er altijd mensen waren die stilstonden en altijd die, die in beweging waren.

De glits bewoog.

Jay draaide het rond zodat hij het kon aankijken. Hij lachte. 'Je wilde zien wat wij hier allemaal doen. Dit is het. Een beetje heen en weer bewegen en wat winkelen.'

Het wezen hield zijn hoofd schuin.

'Je kent winkelen natuurlijk niet. Iedereen kent het hier. Kom, ik laat het je zien.'

Ze liepen naar de goederen die buiten naast de ingang waren uitgestald. Zachtjes pratend legde hij uit waar het allemaal voor was. Houtskool voor een barbecue, koelvloeistof voor een motor, bloemen voor een moeder of oma, zonnebrillen om stoer te zijn en kranten om...

Jay voelde zich ineens als die keer dat hij de aan-uitschakelaar van de staande lamp open had geschroefd. Hij wilde zien hoe het mechanisme de ene keer wel stroom doorliet en de andere keer niet. Het moment dat hij ontdekte dat hij vergeten was de stekker eruit te halen, was het moment dat hij zijn wijsvinger op de onderste helft van de schakelaar had en met zijn middelvinger de bovenste helft aanraakte. Het was een niet te missen moment. Wasabi was er niets bij. Had hij beide handen gebruikt dan was hij dood geweest. De tweehonderdtwintig volt deed stroom door zijn vingerkootjes knallen en liet hem met open mond en suizende oren achter op de bank waar hij deze stommiteit uithaalde. Levend, maar compleet door elkaar geschud.

Zo voelde hij zich nu ook. Met open mond en suizende oren bekeek hij de voorkant van de bovenste krant die in het buitenrek was uitgestald. Zijn foto stond voorop. Hij. Zijn foto. *Jay de B.* stond eronder voor het geval hij zichzelf niet herkende.

Het was *De Telegraaf*. De kop was 'Zoon van raadslid spoorloos, maar niet door aliens'. Daaronder stond in dikke letters: 'De overheid vindt de geruchten van experimenten met tieners en buitenaardse wezens getuigen van extreem slechte smaak en vraagt aandacht voor het echte drama.'

Jay moest de krant in het rek omhoogschuiven om verder te lezen.

'De beschuldigingen van het dagblad *de Vrije Media* dat de overheid een journalist gevangenhoudt omdat die informatie over een geheim onderzoek zou hebben achterhaald, worden op een persconferentie simpelweg opzij geschoven. De tiener Jay de B. uit de hoofdstad, sinds zaterdag jl. spoorloos, is niet ontvoerd door onbekende levensvormen of een 'glits' zoals *de Vrije Media* zo graag beweert. Het is een tragische geschiedenis en het is schandalig dat een "kwaliteitskrant" daar een sensationeel fantasieverhaal van probeert te maken. De jongen was met psychische klachten opgenomen in het ziekenhuis na mishandeling door klasgenoten op school. Nu is hij al dagen onvindbaar. De overheid heeft zijn signalement verspreid onder al haar opsporingsdiensten om te helpen een einde te maken aan dit drama. Het ergste wordt gevreesd. De alleenstaande moeder, een raadslid van de gemeente Amsterdam, wordt terzijde gestaan met psychologische hulp. Juridische stappen tegen *de Vrije Media* worden voorbereid. Vermoed wordt dat de verslaggeving bedoeld is als wraak wegens het in hechtenis nemen van een verslaggever die de wet heeft overtreden en daarmee de nationale veiligheid in gevaar heeft gebracht. Het getuigt van bijzonder slechte smaak en is kwetsend voor een gezin dat in angst leeft voor hun zoon en voor wiens gezondheid moet worden gevreesd. De overheid geeft aan dat elk jaar honderden tieners verdwijnen en dat elk daarvan er een te veel is. Dit probleem zou serieus genomen moeten worden en niet in het belachelijke getrokken door op sensatie beluste journalisten. Lees verder op pagina 3.'

Jays hart hamerde alsof het een zwakke plek ontdekt had in zijn borstkas en nu naar buiten wilde. Twaalf miljoen vragen vlogen tegelijk door zijn hoofd.

Psychische klachten?

Zaterdag jl.?

Al dagen onvindbaar?

Waar is Rachel in het verhaal?

En Tobias en Stein?

Wat zegt *de Vrije Media* dan?

Gezin leeft in angst... Gezin?

Psychologische hulp voor zijn moeder?

En er was iets sinisters aan 'Het ergste wordt gevreesd...'

Op het onderste rek stond *de Vrije Media*, maar die was leeg. Uitverkocht? Jay keek naar de datum op *De Telegraaf*. Dinsdag? Dat kon niet. Hoe lang geleden het ook leek, de dag dat hij opgehaald was om *hem* weer te zien, was toch zaterdag?

De glits verschoof op zijn borst.

Het reikte naar iemand achter hem. Rachel natuurlijk. Jay draaide zich om. Hij wilde haar de krant laten zien, maar het was Rachel niet. Een man liep net de schuifdeuren van de winkel uit met vier snoepdoosjes in zijn hand. Hij stond nu met zijn rug naar hen toe over de tankende auto's uit te kijken. Hij gooide zijn hoofd achterover om enkele snoepjes in zijn mond te krijgen. Daarbij ratelden de doosjes op een vertrouwde en tegelijk angstaanjagende manier.

Het geluid van tic tacs in hun doosje... Dit was Ger Brasem. En die auto naast de ingang was de blauwe Ford Focus waar Jay weleens in gezeten had.

Met twee passen stond Jay bij het rek met brillen naast de kranten en hij deed een zonnebril op. Eén hand probeerde de glits ervan te overtuigen dat iemand kennen niet genoeg was om iemand aardig te vinden. De andere hand verzette het spiegeltje dat aan het rek vastzat zodat Jay kon zien of hij het toch maar op een lopen moest zetten.

Ger leek niet van plan ergens heen te gaan. Hij stond wijdbeens zijn snoepjes te consumeren alsof hij hier een afspraakje had, zo voor de deur van het tankstation.

Het mocht een wonder heten dat hij Rachel binnen niet gezien had. Maar wat als zij nu naar buiten kwam?

Ondertussen was de glits er niet van overtuigd dat het feit dat het Ger eerder gezien had niet belangrijk was. Op zijn manier reikte het naar Ger uit. Zonder arm of geluid raakte het het bewustzijn van de ander.

In de spiegel zag Jay hoe Ger eerst over zijn rechter- en vervolgens over zijn linkerschouder keek. Met een fronsende blik. Alsof hij eigenlijk niet om wilde kijken, maar iets aan hem trok.

Jay duwde de bril nog wat steviger op zijn neus, om maar bezig te lijken. Bezig met het beslissen of deze bril hem wel goed genoeg stond om de € 9,95 op te hoesten die het prijskaartje voor zijn lippen vermeldde. Bril of € 9,95, dat was wat er zogenaamd door zijn hoofd moest gaan. Wat er werkelijk door zijn hoofd ging was wat hij kon doen als Ger hierheen kwam lopen... Zou hij in zijn gang kunnen verdwijnen?

Ger begon op hen af te lopen. Weifelend, alsof de man zelf niet wist waarom.

Als Jays gang hier liep, als hij dicht bij zijn gang gebleven was, kon hij dan niet vanaf hier, met een enorme wilsinspanning, er simpelweg in verdwijnen? Jay kneep zijn ogen dicht in een ultieme poging het heel erg te willen. Wat moest hij anders? Wat had rennen voor zin?

'Brasem,' klonk een stem over het voorterrein.

Jay herkende die stem en hij kreeg toen hij zijn ogen opende ook nog meteen bevestiging doordat degene die riep in de spiegel verscheen. Twintig meter achter Ger, bij pomp 4, stapte Harold Klein uit het achterportier van een crèmekleurige Mercedes. Svensson verscheen aan de andere kant.

Dingen waren net van heel erg, drie keer zo erg geworden.

19

Op de redactie van *de Vrije Media* waren dingen op zijn zachtst gezegd abnormaal. Als enige krant waren ze geweerd bij de persconferentie waarvan alle andere kranten op deze dinsdag bericht gaven. De telefoontjes bleven binnenkomen. Andere kranten, tijdschriften of televisieprogramma's die graag meer wilden weten over hoe *de Vrije Media* toch deze enorme flater kon slaan. Zou de hoofdredacteur Stef Goossens misschien vanavond in *Nova* willen komen, of bij *Pauw en Witteman*, of bij... Verder waren er talloze mensen die belden om te laten weten dat ook zij contact hadden gehad met buitenaardse wezens... in hun achtertuin, op een verlaten dijk, midden op het IJsselmeer en in hun slaap.

Goossens verliet net het kantoor van de algemeen directeur van de krant, die ondanks het feit dat de gehele extra oplage van de maandag- en de dinsdageditie uitverkocht was – een recordverkoop in de geschiedenis van *de Vrije Media* – uiterst ontstemd was. Dat begreep Goossens wel. De toekomst van de krant stond op het spel. Adverteerders begonnen hun contracten al op te zeggen. Maar het stoorde hem dat de directeur zich niet nog kwader maakte over het feit dat een van hun journalisten vastzat. Dat ze dat niet als teken zagen dat er wel degelijk iets aan de hand was. Dat interesseerde ze niet. Ze wilden alleen hun adverteerders gelukkig houden. En de kosten laag. Meer niet.

Hij liep over de redactie en negeerde het feit dat de journalisten zijn blik vermeden. Hij was aangeschoten wild en hij wist het. Nog vierentwintig uur en dan ging het zijn kop kosten. De persmensen van de overheid waren gehaaid. Zelfs als over een paar dagen de waarheid naar boven kwam, dan waren hij en het blad al zo zwartgemaakt dat het er niet meer toe zou doen. En welke krant zou ooit nog de waarheid over de overheid durven vertellen? Daarbij, wie interesseerde zich nog voor de waarheid, het verhaal, daar ging het om. En nu was hij zelf het verhaal aan het worden. De miskleunende hoofdredacteur.

Op zijn bureau lag een overzicht van de telefoontjes die er voor hem waren geweest. Hij bekeek het meewarig. Door de open deur drong een onnatuurlijke stilte vanaf de afdeling naar binnen. Het geroezemoes van werkende journalisten was zo'n beetje zijn favoriete geluid ter wereld, het stond even hoog in zijn aanzien als het raspende stemgeluid van Johnny Cash, maar nu ontbrak dat geluid volkomen en dat klopte niet.

Hij ging maar niet kijken of er iets van zeggen. Hij had al te veel aan zijn kop, hij kon niet meer net als vroeger gewoon schreeuwen als iets hem niet beviel. Hij moest nu...

Op dat moment verscheen in de deuropening degene die de stilte op de afdeling veroorzaakt had. Degene die alles veroorzaakt had. Joris Kok. Hij zag er wat bleek uit maar verder ontspannen, alsof hij niets met de ondergang van de krant te maken had.

Joris glimlachte. 'Hallo chef.'

'Hoe in vredesnaam...?'

Joris kwam de kamer in. 'Ik heb een deal gemaakt. De zender in die trui van Jay voor mijn vrijheid.'

'Na drie dagen?'

Joris schudde zijn hoofd. 'Eergisteren al. Maar het ding pakte vandaag pas signaal op. Dus hebben ze me net vrijgelaten.'

'En nu?' zei Goossens.

'Hoe bedoel je?' Joris was niet gewend dat Goossens hem vroeg hoe iets verder moest.

'Precies wat ik zeg. En nu? Wat doen we nu? Wachten tot hij gewoon belt?'

'We moeten zoeken.'

Goossens lachte, maar er zat niet veel humor in zijn lach. 'Zoeken! Ga jij lekker rondrijden tot je een glimp opvangt van...'

'Nee, op internet. We moeten iedereen van de redactie inzetten. Zoeken op Twitter, Hyves, Facebook, YouTube, noem het maar op. Zoekwoorden: glits, alien, spook, wonder, allemaal. Als hij ergens is zal iemand hem zien en dan zullen ze dat aan iemand anders willen vertellen, geloof me.'

'Denk je dat we dat nog niet gedaan hebben? De halve wereld heeft het erover, maar vooral over hoeveel onzin het is.'

'Wacht maar, als ze het echte wezen tegenkomen, dan merken we het verschil wel.'

'We hebben een signaal,' riep Klein terwijl hij zijn telefoon omhooghield. 'Op acht kilometer. Ze rijden weg van hier. Waar is je auto?'

Achter zich hoorde Jay Ger twijfelen. 'Maar...'

'Schiet op!' Klein zette de pas erin. Hij moest even inhouden toen de bestuurder van de Mercedes uitstapte. Een grote man met een uitbundige snor. 'Nog bedankt voor de lift,' zei Klein en hij was hem voorbij en verdween uit Jays beeld.

Jay voelde geen enkele neiging om zijn hoofd te draaien om te zien wat er ging gebeuren. Geen enkele. Hij was volledig bereid in de spiegel te blijven kijken hoe de man met snor zijn Mercedes van brandstof voorzag.

Ook het geluid van een snel optrekkende auto deed hem niet omkijken. Niets zou hem doen omdraaien, helemaal niets...

'Hé aardbei, ik zei toch dat je om de hoek moest blijven.'

Jay draaide zich om.

Rachel stond precies tussen de schuifdeuren. Haar armen waren volgeladen met etenswaren: chips, chocola, koekjes, donuts. Een fles water en een sixpack cola bungelden aan haar vingers.

Jays hysterische lach deed alle mensen opkijken. Of ze net stilstonden of in beweging waren, kwamen of gingen. Er sprak iets waanzinnigs doorheen. Een besef dat het eigenlijk waanzinnig is wat er gebeurt, wat er ook gebeurt. En dat het waanzinnig is dat wij daarbij zijn. Bij elk klein stukje daarvan.

Jay nam een blikje cola uit het sixpack en met lange, verrukkelijke halen liet hij de inhoud via zijn lippen, over zijn tong, zijn keel in verdwijnen. Had ooit iemand zo genoten van een blikje drinken als hij nu? Een dame met felblond haar en een felgele handtas liep langs en zei: 'Zo, had je het nodig?'

Jay kon niet anders dan knikken.

Om de hoek, in het kale stukje gras tussen parkeerplaats en benzinestation spreidden ze het voedsel uit en begonnen te eten alsof ze... alsof ze drie dagen niet gegeten hadden. De glits weigerde iets te proberen. 'Er waren geen potloden, probeer toch iets,' zei Rachel. Maar het nam genoegen met het gadeslaan van hun geluiden en bewegingen.

Na een hap genomen te hebben van zijn tweede donut zette Jay zijn zonnebril af en pakte een van de kranten die hij had meegenomen. 'Vraagje voor je,' wist hij tussen het kauwen door eruit te krijgen. 'Welke dag is het?'

Rachel keek niet eens op van het openmaken van weer een reep chocola. 'Wat maakt het uit?'

Jay slikte zijn hap door. 'Het is echt heel belangrijk. Welke dag is het vandaag?'

Rachel keek even omhoog alsof er een kalender aan de hemel te zien was. 'Zaterdag,' zei ze en ze opende een zak chips.

'Weet je nog dat ik zei dat ik uren op je gewacht had en jij zei dat het maar vijf minuten was?'

'Begin je daar nou weer over?'

'Tijd verloopt anders in de gang.'

'Man, zeur niet.'

'Ik kan het bewijzen.'

'Zal wel.'

Jay hield de krant opgevouwen omhoog. 'Dit is de krant van dinsdag.'

'Tsss, wat zegt dat nou? Dat je een oude krant hebt.'

'Deze krant zegt dat wij al drie dagen weg zijn.'

'Omdat er dinsdag op staat? Jij bent echt ziek in je hoofd.'

'Nee, omdat het met naam en toenaam op de voorpagina staat.' Jay liet de krant openvallen en legde hem voor haar neer. Rachel liet al het eten en drinken uit haar handen vallen.

Ze lazen het drie keer, hardop. In verwarring, in verrukking en met verbijstering. Wat een leugens stonden erin. Maar de wereld wist dat zij bestonden. Wist dat hij bestond. Al was duidelijk niet iedereen overtuigd.

'Ahum.' Een jongeman in een keurig gestreken bloes met een naambadge op borsthoogte die de wereld liet weten dat hij Frank Mahler heette stond ineens naast hen.

'Zeker vergeten die kranten en die zonnebril af te rekenen?'

'Het is een ziekte. Hij steelt overal waar hij komt,' zei Rachel.

'Dat is niet...' begon Jay. Toen zag hij dat de Shell-medewerker de glits met open mond bekeek. 'Betaal de man,' zei hij scherp.

'Betaal hem zelf.'

'Jij hebt het geld.'

Dit was zo'n sterk argument dat zelfs Rachel er niets tegen in kon brengen. Al weerhield dat haar er niet van om op zoek te gaan naar iets pinnigs om te zeggen.

Met kleine knikjes in de richting van de jongeman probeerde Jay Rachel te laten inzien dat ze snel moest toegeven... Te laat.

'Wat is er met hem?'

De glits had zijn armen uitgereikt naar de nieuwkomer, die een stap achteruit deed.

'Wat, in hemelsnaam, is dat?'

Jay stond snel op. Toen zag hij dat boven het naamplaatje van de jongeman zowel het uiteinde van een ballpoint als dat van een scherp geslepen potlood te zien was.

'Rachel, mag ik wat geld?' zei hij en hij stak zijn hand uit.

Een briefje van twintig verscheen met gepaste snelheid en werd tussen zijn vingers gedrukt.

'Bril tien, twee kranten vier euro en ik bied je zes euro voor je potlood.'

De jongen hoorde geen woord. Zijn gezicht was vertrokken en het was moeilijk te zeggen of het van afschuw of van verrukking was. Misschien wel beide.

Jay ging recht voor hem staan. 'Hij heeft een huidziekte. Frank luister, dit is voor jou.' Jay stak het briefje van twintig naar hem uit. 'Als ik je potlood mag hebben en dan heb je ons niet gezien.'

De jongeman stapte achteruit. 'Ik heet Bas,' zei hij simpelweg.

Jay wees met een verbaasde blik op zijn naambordje.

'Dit is niet mijn bordje. Ik... ik wil niet dat mensen mijn echte naam kennen.' Hij lachte verlegen en probeerde om Jay heen naar de glits te kijken. Jay stapte opzij om dat te voorkomen.

Bas keek hem recht in de ogen aan. 'Nu begrijp ik het. Jij bent Jay,' zei hij.

Jay keek even om naar Rachel of zij begreep waar dit ineens vandaan kwam.

'Ik heb het allemaal wel gelezen.' Bas wees vluchtig naar de kranten op de grond. 'Maar eerlijk gezegd geloofde ik er geen woord van. En je ziet er zo anders uit dan op die foto's. Maar nu ik hem zie...' Weer stapte Bas opzij om de glits te kunnen zien.

De glits opende zijn mond en liet er enige klanken uit vloeien. Lage klanken, maar in elke klank zat weer een hoge klank gevangen, die er niet uit kon, die je ook niet kon horen, alleen voelen.

'Natuurlijk,' zei Bas. Hij stapte om Jay heen, trok het potlood uit zijn borstzak en overhandigde het aan de glits.

Nu was het de beurt aan Jay om met zijn mond open te staan. 'Wat... wat... wat hoorde je?'

'Hij vroeg om een potlood,' zei Bas.

Jay keek Rachel aan, zij keek van Bas naar Jay en terug. Met een handgebaar bood Jay het briefje van twintig aan de jongen aan.

'Ben je gek,' riep Bas. Zijn ogen waren wijd open alsof iemand op zijn tenen stond. 'Blijf hier, dit moeten de anderen zien.' En hij was weg. Bij de hoek waar de witte muur overging in het kleurrijke leven van het benzinestation stopte hij nog even en keek om. 'Er zijn er genoeg die in jullie geloven, dat ga je zien. Wij zorgen wel voor jullie.'

'Dank je... Bas,' zei Jay. Rachel kwam naast hem staan. Ze stak haar hand op. Bas deed hetzelfde en verdween om de hoek.

Snap jij het nog? vroegen ze beiden woordeloos door elkaar aan te kijken.

Tien minuten later stond het benzinestation stil. Een provisorisch bordje met daarop in ballpoint: 'Om de hoek,' was met plakband aan de deur bevestigd. De auto's die kwamen aanrijden moesten in de rij voor een pomp, maar het was een rij waar geen beweging in zat, omdat er niemand aan het tanken was. Diegenen die poolshoogte kwamen nemen hoorden en zagen al snel dat een opgewonden menigte zich om de hoek van het tankstation bevond. Als ze zich daar dan enigszins angstig bij aansloten... (Er was toch geen ongeluk gebeurd? Ze hoefden toch niet te helpen? Ging de boel in de fik? Ging dit lang duren?) ... dan werden ze al snel toegefluisterd door degenen die er al stonden, alsof het oude bekenden waren: 'Dit is de alien uit de krant.'

'De glits.'

'Hij bestaat echt.'

'Je hebt nog nooit zoiets gezien!'

Jay had ook nog nooit zoiets gezien. Op de eerste rij het benzinestationpersoneel, Bas en zijn collega's, daarachter en daaromheen allerlei soorten mensen uit allerlei soorten auto's. Dik, dun, oud, jong, rijk, arm, mooi, lelijk en allemaal leken ze gevangen door het onzichtbare licht dat de glits uitstraalde. De nieuwkomers waren de enigen met iets van een frons op hun gezicht, of ergernis in hun blik. Ook zij begonnen al vrij snel te delen in de onuitgesproken euforie die als de geur van versgebakken appeltaart tot eenieder doordrong en alleen maar hongerig maakte naar meer.

De glits was groter dan ooit tevoren. Het had de reisversie van zichzelf, die nog van borst naar borst kon springen, uitgepakt en stond rechtop op zijn twee benen om zichzelf te laten bekijken. Het hield zijn hoofd schuin naar achteren, meer als Stevie Wonder dan alsof hij naar de hemel wilde kijken. Jay stond aan één kant van de glits en Rachel aan de andere.

Het wezen spaarde menselijke aandacht als een woestijn zonnestralen, het kon een hoop hebben. Zo mogelijk werd hij er nog doorzichtiger van, maar tegelijkertijd was er een wolk in zijn middenrif. Zoals bij een glazen knikker, een lichtgroene wolk die naar de rest van zijn doorkijklichaam een groenig licht uitstraalde. Het licht van nooduitgangbordjes, van door een grasblad naar de zon kijken, van iets zogenaamd engs uit een spookhuis.

Alleen was dit echt. Er was niemand in een omtrek van twintig meter die niet doordrongen was van de echtheid van wat hier stond, hoe onwerkelijk ook. Doordrongen van het mirakel onder handbereik, van de allesverklarende en allesverheffende eenvoud van hetgeen hier simpelweg op dit stukje gras stond.

De glits zoog het op, nam iets van al die blikken, iets waardoor het groter kon worden, sterker. Maar het gaf ook terug. Door er te zijn, door de aandacht nodig te hebben, door zich helemaal zonder bescherming met onzichtbare open armen aan hen over te geven. Het gaf en het nam. Het was een gelijk oversteken dat Jay niet kon missen en tegelijk niet kon traceren. Het was wat de plant de zon teruggeeft of de adelaar de wind. Wat het ook was, het raakte iets in de minidoorsnede van de autorijdende bevolking. Bij de haast vierkante eigenaar van een stukadoorsbedrijf, bij zijn zoontje, bij de langharige vertegenwoordiger in keukenkastjes, bij de kinderloze dame van zevenenzestig, bij de twee studenten economie die op weg naar het strand waren, bij de zakenvrouw en haar chauffeur die nog nooit hetzelfde bij iets gevoeld hadden, allemaal werden ze geraakt in iets dat lang niet aan de oppervlakte was geweest.

Het was een kind dat de stilte doorbrak.

'Hoe heet hij?' vroeg het negenjarige zoontje van de stukadoor. Dat leidde tot instemmend gemompel. 'Ja, mogen we vragen stellen?' riep de kinderloze dame van zevenenzestig.

Ineens waren alle ogen op Jay gericht. Hij keek naar Rachel.

Ze knikte.

Jay knikte ook.

'Hoe heet je?' vroeg het jongetje weer.

Jay keek of het wezen uit zichzelf zou antwoorden. Dat was niet zo. 'Ze willen weten of je een naam hebt?' vroeg Jay voorzichtig.

'Niet nog,' kwam het antwoord.

'Hij heeft nog geen naam,' zei Jay.

'Maar hij is toch een glits?'

'Ja, zo noemen wij hem,' zei Jay.

'Waar komt hij vandaan?'

Nu legde Rachel de vraag voor.

'Uit de zee.'

'Uit de zee,' zei Rachel.

Dit verraste iedereen hoorbaar. Rachel ook, al had ze het niet in haar stem laten merken.

'Kom je niet uit de ruimte? Van een andere planeet?' vroeg het dametje.

'Van de Veluwe?' wilde iemand anders weten.

Jay legde de vraag aan het wezen voor.

'Uit de ruimte. Uit het bos. Uit de zee.'

'Wat kom je doen?' vroeg de stukadoor.

'Bij jullie zijn.'

Hier bleef het even stil op. Jay zag dat enkelen met hun telefoons begonnen waren te filmen.

'Alleen dat?'

'Weten hoe jullie zijn. Wat jullie doen.'

'Zijn er meer van zoals jij waar jij vandaan komt?'

'Ze wachten.'

'Waarop? Waar wachten ze op?'

'Op jullie.'

'Willen ze ook komen?'

'Misschien.'

'Waarom?' 'Hoezo?' Meerdere stemmen spraken tegelijk.

'Hoe jullie zijn. Wat jullie doen,' was het antwoord.

Jay werd onrustig. Hij had het gevoel dat ze weg moesten, dat ze de glits toch nooit zouden begrijpen, dat ze de essentie misten. Nu kon hij die zelf ook niet onder woorden brengen, maar dat wilde niet zeggen dat hij hem miste.

Jay keek om zich heen. Alleen het jongetje en de oude dame leken volledig in trance, in contact met de glits. De anderen begonnen al om te kijken. Naar hun auto's? Nee, naar drie mannen die luid roepend en met getrokken pistolen op hen afrenden.

Ze waren te lang gebleven.

20

Het had even geduurd voordat Svensson, Klein en Brasem de Duitsers in het busje aan de kant hadden gekregen. Daarna was Svensson er nog aan te pas gekomen om ze te laten uitleggen waarom de trui van Jay op de achterbank lag. Ze lieten de twee Duitsers vervolgens geboeid in de berm liggen, wachtend op een gewone unit die ze zou oppikken. Zij moesten terug naar het Shell-station.

Terwijl ze weer in de Ford Focus reden op zoek naar een afslag om weer richting benzinestation te gaan liet Klein duidelijk merken wat hij ervan vond dat dit soort kleine camera's nu voor iedereen te koop was. Ger Brasem zag in zijn spiegel hoe de trui aan stukken gerukt werd.

Op het moment dat Harold Klein begreep dat de menigte naast het benzinestation om zijn drie vluchtelingen stond, had hij het even moeilijk. Het liefst zou hij er gewoon heen zijn gerend, had hij het wezen overhoop geschoten en iedereen die er wat van zei erbij. Maar het waren net te veel mensen en sommige waren al aan het filmen, dus daar zou hij eindeloos gezeik mee krijgen.

Jarenlang was hij bezig met het grote publiek niet te laten zien waartoe de overheid af en toe in staat moest zijn. Dat kon hij niet in één keer overboord gooien.

'Wapens weg.'

Het gillen was al begonnen en boven iedereen uit was Rachel te horen: 'Ze gaan hem vermoorden!'

Klein haalde zijn identiteitskaart tevoorschijn en toonde die in de rondte. Tegelijkertijd wenkte hij Svensson en Brasem om ieder van een andere kant het wezen te benaderen.

'Misschien hebt u het in de krant gelezen. Dit tweetal heeft iets ontvoerd dat van ons is. Wij halen het simpelweg terug. Als u even aan de kant wilt gaan...' Klein klonk als iemand die het gelijk aan zijn kant had. Mensen begonnen al opzij te stappen.

'Ze gaan hem vermoorden,' gilde Rachel weer.

'Ik haal mijn auto,' fluisterde Bas en hij glipte weg.

Jay pakte de glits bij de hand en keek om. Rennen had echt geen zin. Ze waren verloren. Alleen zijn gang was misschien hun redding. Zou hij daarin kunnen komen?

Jay kneep zijn ogen dicht en probeerde uit alle macht in zijn gang te komen. Even zag hij witte muren om zich heen en voelde hij dat zijn benen krachtig stonden, alsof er maar één weg was die hij kon gaan en dat die weg helemaal van hem was. Hij opende zijn ogen. Hij was nog steeds op het grasveldje naast het benzinestation, Klein stond er nog en Svensson en Brasem kwamen gevaarlijk dichtbij.

Hij was niet weg. Maar er was wel wat veranderd. Hij wist wat hij moest doen. Ze gingen zich niet zonder slag of stoot overgeven.

'Je bent bang voor hem,' riep hij luid. 'Omdat je hem niet begrijpt. Maar deze mensen begrijpen hem wel.' Om hem heen werd geknikt. 'Hij doet geen vlieg kwaad. Laat hem met rust.'

Klein negeerde hem. 'Dames en heren, ik moet u vragen om uw camera's uit te doen. Wij zijn anders verplicht uw camera of telefoon in beslag te nemen en dat wilt u vast niet.'

Svensson stapte nu tussen de mensen door op Jay af. Alsof ze twee magneten waren keken de brede stukadoor en Svensson elkaar strak aan. Vervolgens ging de stukadoor in zijn rode poloshirt recht voor Svensson staan.

Telefoons en camera's werden hier en daar uitgezet.

'Nee mensen, blijf filmen,' riep Jay. 'Laat de wereld maar zien hoe ze omgaan met onschuldige wezens.'

'Onschuldig.' Klein spoog op de grond voor hem. 'Dit *ding* is niet onschuldig. Dit *ding* is verantwoordelijk voor de dood van een van de beste mannen die over jullie veiligheid heeft gewaakt. Vermoord door deze onschuldig uitziende wandelende bacterie. Het is levensgevaarlijk en wie er te dicht op staat riskeert letterlijk zijn leven.' Klein trok zijn wapen. 'We komen niet voor niets gewapend. Noem het een buitenaards wezen als je dat echt wilt. Wat het feitelijk is, is een uit de hand gelopen biologisch experiment, dat besmettelijk is en dat al één mens, mijn collega Jean Maas, het leven gekost heeft. Dus aan de kant. Wij moeten wel actie ondernemen. Als u blijft staan zijn de gevolgen voor u.'

'Dat ventje gevaarlijk?' vroeg het oude dametje, maar de woorden van Klein hadden effect. De mensenhaag om Rachel, Jay en de glits begon uit te dunnen.

'Is dat waar?' vroeg de stukadoor die nog recht tegenover Svensson stond.

Rachel bekeek Jay met wijd open ogen. 'Is Maas dood?'

Alle ogen leken op Jay gericht. Waarom ging de glits nu niet zingen of zo, zodat alles goed kwam? Het leek ook naar Jay op te kijken, net als het jongetje, de oude dame en de andere leden van de uitdunnende levende haag. Alleen Svensson en de stukadoor bleven elkaar in de ogen kijken, alsof ze een spelletje speelden wie het eerst ging knipperen. Of iets anders.

Jay moest antwoord geven.

Klein wachtte er ook op. Hoe dan ook, dit antwoord zou de menigte uiteendrijven en dan was het pr-fiasco enigszins beperkt gebleven.

'Heeft hij echt iemand vermoord?' vroeg de zoon van de stukadoor. Nog even en de stukadoor zou zich met zijn zoon bemoeien, dan had Svensson vrij spel en was het afgelopen.

'Nee,' riep Jay. 'Dat heeft hij niet gedaan. Zij was het.' Hij wees met een theatrale beweging naar Rachel.

Het gillen begon.

Svensson bewoog eerst. Hij ontving meteen een kopstoot van de stukadoor en beiden klampten zich aan de ander vast.

Rachel gilde, het jongetje gilde, de oude dame gilde.

De levende haag, of wat ervan over was, vloog alle kanten op. Ger Brasem had moeite om erdoorheen te komen, maar uiteindelijk lukte het hem om de gillende Rachel vast te grijpen. Harold Klein had het ondertussen aan de stok met een vrouw die zijn moeder kon zijn. Waarschijnlijk was het ook daarom dat hij haar niet met een geoefende slag simpelweg buiten westen sloeg.

Zijn moeder zat in Zeeland in een tehuis. Hij zocht haar niet vaak genoeg op. Dat zorgde voor iets van respect voor het oude dametje dat nu met haar tas zijn gezicht probeerde te bewerken. En ook voor iets van schuldgevoel toen hij, nadat ze zijn wang had opengehaald met de sluiting van de tas, haar toch maar tegen de zijkant van haar knie schopte. Zij greep vervolgens zijn been en liet niet los.

Pas nadat Klein zag dat een benzinestationmedewerker Jay en de glits hielp instappen in een lichtblauwe Renault Clio kon hij zich ertoe brengen om het dametje een fikse schop in het gezicht te geven. Wat, dat moet gezegd, onmiddellijk het gewenste resultaat had.

Hij zou er pas de volgende dag via YouTube achter komen dat dat dametje daarbij het bewustzijn verloor. Er werd namelijk nog steeds gefilmd. Hetzelfde YouTube-filmpje toonde hoe Klein naar de Clio sprintte, zijn pistool tegen de voorruit zette waarachter Jay hem verschrikt aankeek en vervolgens de trekker overhaalde.

Het moment dat de trekker overgehaald werd en het moment dat het raam van de Clio explodeerde waren niet hetzelfde moment. Daar zat wat tijd tussen. Normaal gesproken is dat niet veel tijd. Enige milliseconden op zijn langst. En toch leek het voor de omstanders en voor de miljoenen kijkers op YouTube of er in die milliseconden een lied gezongen kon worden. Alsof geluid en tijd in elkaar overliepen. Alsof een lied in de plaats van tijd kwam. Het lied klonk voor velen alsof tijd scheurde en in de film was het alsof de lucht scheurde en daarna pas het glas. De Clio bewoog voorwaarts, geholpen door het gezang dat klonk alsof het van onder uit de oceaan kwam en de kogel vond zijn weg door zowel het linker- als het rechterachterraam, in plaats van door de voorruit.

Mensen die het op YouTube zagen dachten vaak dat er iets mankeerde aan de internetverbinding, het beeld ging ineens langzamer dan normaal, maar dan alleen voor de kogel en niet voor de auto. Dat kon natuurlijk niet. Dat hoorde niet zo te zijn.

Klein zou het keer op keer bekijken en tot de conclusie komen dat de film gemanipuleerd was om hem eruit te laten zien als een slechte schutter. Want wie kon nou missen van die afstand?

Heel soms, als hij laat in de nacht weer zat te kijken, gebeurde het dat hij dat foutje, datgene wat er niet hoorde te zijn, dankbaar was. Omdat het ervoor gezorgd had dat zijn kogel zo glorieus miste. Meestal sliep hij dan de rest van de nacht niet.

De wind had vrij spel door de twee kapotte achterramen van de Clio en maakte praten moeilijk. Jay zat met het wezen op schoot en keek recht voor zich. Zonder wat dan ook te zien.

'Heeft zij hem echt vermoord?' schreeuwde Bas.

Jay gaf geen antwoord, want het was geen vraag waar je ja of nee op zei. Daar had je andere vragen voor. Had hij haar verraden? Verraden en verlaten? Ja.

Hoe kon je daar iets anders op zeggen dan ja?

Maar zou zij snappen dat hij geen keus had gehad? Zou zij begrijpen dat het onder de omstandigheden het beste was wat hij had kunnen doen? Of... of... zou ze hem haten? Verachten?

O, zat ze maar hier in de auto...

Jay keek om naar het slagveld van brokken glas op de achterbank. Misschien was het maar goed dat ze daar niet had gezeten.

Bas vroeg weer iets. Hij probeerde Jay zelfs iets aan te reiken.

'Wat?'

'Bel iemand. Ze zullen ons zo inhalen.'

'Ik bel nooit,' zei Jay.

Er kwam een blauw bordje in beeld met een witte letter P erop. Eronder de naam Jool-Hul. Een moment lang kon Jay niets anders dan zich afvragen welke ambtenaar besloten had deze rustplaats deze naam te geven. Was het een grappig iemand? Was die serieus? Het gaf hem een gevoel van rust om alleen daarover na te denken. Zozeer dat hij nauwelijks doorhad dat Bas de afslag genomen had en op Jool-Hul de auto stopte op een plek waar ze door de bomen en struiken niet vanaf de snelweg te zien zouden zijn.

'Bel iemand,' zei Bas.

'Ik ken niemand. Wie zou ik moeten bellen?'

'Die journalist. Die is toch bij je thuis geweest en zo?'

'Toch ken ik hem niet.'

'En je moeder?'

'Mijn moeder begrijpt me niet.'

'Jay, mag ik Jay zeggen? Dat slaat nergens op. Je moet nu toch iemand kunnen bellen?'

'Mijn moeder praat een andere taal. Niemand kan me verstaan. Alleen hij...' Jay legde zijn hand op de schouder van de glits waardoor dat deel van diens lichaam de kleur aannam van zijn hand. '... en zij.' Hij knikte in de richting van het benzinestation.

'Man, ik versta je toch.'

'Dat komt omdat je een bijzonder mens bent.'

Bas lachte. 'Ik denk niet dat dat het is. Iedereen verstond je daar.

Jay, soms weet je gewoon dat iets klopt, dat je iets moet doen. Daarom weet ik dat je nu zo veel mogelijk mensen erbij moet betrekken, dat je alleen dan veilig bent. Ik denk niet dat je de politie kunt bellen. Dus bel iemand anders. Ze komen zeker achter ons aan.' Bas keek achterom.

'Het klinkt alsof je in je gang zit,' zei Jay.

'Wat?'

'Ik weet niet of het uit te leggen is. Maar ik geloof dat iedereen een speciale gang heeft die bij die persoon hoort. Als je daarin zit doe je precies wat klopt voor jou en dan gaan dingen vanzelf. Dan loopt de tijd ook anders en je komt waar je heen moet. Het klinkt raar, maar ik ben in die gang geweest.'

'In welke gang?'

'In mijn gang. Die heeft me bij hem gebracht en ook ervoor gezorgd dat ik hem kon redden.'

Ze keken allebei naar de glits die zijn oorspronkelijke kleurloze doorzichtigheid weer had aangenomen.

'Dus als je in je gang zit weet je wat je moet doen?' vroeg Bas.

Jay knikte.

'Wat zegt jouw gang dan over het bellen?'

'Ik... Ik kan er even niet naar luisteren...'

De glits draaide zijn hoofd rond op een manier waarop een mens dat niet zou kunnen en nam Jay in zich op.

Jay wilde uit de auto stappen. Of een raam kapotslaan.

Hij deed niets. Al klopte dat ook niet.

'Ik snap het niet,' zei Bas. 'Je praat zo helder over die gang en dan ineens...'

'Ik heb haar verraden,' riep Jay. 'Mijn gang liet me daarnet zeggen wat ik zei en nu haat ze me... Nu ben ik haar kwijt en dat... klopt... niet.'

Nu draaide de glits ook zijn romp honderdtachtig graden en reikte met een doorzichtig armpje naar Jay.

'Nee,' schreeuwde Jay. Hij opende de deur en gooide zichzelf uit de auto. Hij viel op de grond en bleef daar zitten. 'Ik wil me kut voelen, oké. Me gewoon even superkut voelen. Dat heb ik nodig. Ik had dat niet mogen doen.'

Twee andere auto's maakten op dat moment gebruik van de verzorgingsplaats Jool-Hul. Een man liet zijn driejarige dochter plassen in de bosjes, beiden keken om. In de andere auto zat een ouder echtpaar. Hij gaf haar instructies hoe ze de buitenspiegel moest verzetten zodat ze ook zou zien wat hij al in zijn binnenspiegel zag. Gewoon omdat de worsteling van een medemens met zichzelf meestal beter vermaak bood dan wat de publieke dan wel commerciële zenders tegenwoordig op de buis brachten. Ze gingen er even voor zitten.

Jay vloekte en schopte met zijn hak tegen de rechtervoorband van de Clio, die enigszins meeveerde en vervolgens onaangedaan bleef. Dit gaf Jay, in ieder geval volgens Jay, het recht om dat nog een keer te doen, en nog een keer en nog een keer...

Rachel was op dat moment nog geen zestig meter van Jay verwijderd en reed met honderdnegentig kilometer per uur over de snelweg. Ze zat achter in de blauwe Ford Focus naast Ger Brasem, die nu van Klein niet eens meer zijn eigen auto mocht besturen. Hij was uit de gratie geraakt omdat hij bij het benzinestation Rachel gegrepen had in plaats van de glits.

Svensson zat achter het stuur en het moet gezegd dat hij alles uit de auto haalde wat erin zat. Hij ondervond blijkbaar geen enkele hinder van de knal op zijn neus door het voorhoofd van de stukadoor. Zijn neus was al zo vaak gebroken geweest dat het hem niet eens meer opviel.

Door die hoge snelheid hadden ze niet veel tijd om te beslissen of ze de parkeerplaats op wilden. Svensson vroeg dat met een wijzende vinger aan Klein.

Klein schudde zijn hoofd. 'Ze hoeven slechts het knooppunt met de A4 te halen om ons kwijt te zijn, dus ze gaan zeker rechtdoor. En als we ze niet vinden kan Vic die knaap zijn mobiel traceren.' Hij drukte een knop op zijn eigen telefoon in. 'Vic, onze targets zijn ervandoor in een blauwe Clio, met een knaap die werkt op het Shellstation. Ze gaan vast snel bellen, kun je hem traceren via zijn mobiel, die knaap is één meter tachtig. Donkerblond steil haar... O, je hebt hem? YouTube? Nu al? Oké. Laat maar weten.'

Klein hing op. 'Vic heeft hem al visueel op een filmpje. En zijn naam en nummer. Dus als ze gaan bellen hebben we ze ook. Ze hebben geen kans.'

Terwijl ze de parkeerplaats voorbijschoten kreeg Rachel een enorme neiging om daarheen te kijken, om door de bomen te turen. Om te kijken of daar iets te zien was. Iets dat van haar was.

Ger keek haar aan. Rachel keek terug. Dat was veiliger dan uit het raam.

'Wat is er?' vroeg Ger.

'Mag ik een tic tac?' vroeg Rachel.

'Kinderlijk gesnoep,' snoof Klein vanaf de voorbank.

Met zeldzame expertise wist Ger eerst één en vervolgens een tweede witte pastille in Rachels uitgestrekte hand te schudden. Ze hadden haar niet geboeid, hun handboeien zaten nog om Duitse polsen.

21

Bas van Loon, één meter tachtig met donkerblond steil haar, stond bij de motorkap van zijn moeders Renault Clio. Vanaf het moment dat hij Jay, Rachel en de glits herkend had was hij bevangen geraakt door een helderheid die hij al jaren niet meer gekend had. Ineens wist hij precies wat te doen en besteedde er geen seconde meer aan, zelfs geen deel van een seconde, om te twijfelen of zijn gekozen handeling wel de juiste was. Iedereen uit de winkel roepen, de winkel even dichtgooien, de auto pakken op het moment dat er gevaar dreigde... dit alles deed hij met een vanzelfsprekendheid die zo groot was dat hij niet opviel. Alleen nu, nu die vanzelfsprekendheid verdwenen was, werd hij zich ervan bewust dat deze er ooit was. En dat het nu weg was.

Jay was zijn held. Hij zou hem overal gevolgd hebben. De redder en hoeder van de glits. Alleen nu zat diezelfde Jay op een stoepje tegen de voorband van de Clio te schoppen. Als een mokkend kind.

'Jay, ik snap het niet. Het was briljant. Het was waarschijnlijk je enige kans om zoveel verwarring te stichten dat wij konden ontsnappen. Als je het niet gezegd had, was je nu gepakt.'

'Nu haat ze me,' zei Jay bitter. De band kreeg zo'n harde schop dat het hele wiel een stukje verschoof. Niet veel, het zou in millimeters uitgedrukt moeten worden, maar toch gaf het Jay een gevoel van bevrediging. Had hij toch iets bereikt.

'Hoe kan ze je nou haten? Jullie zijn de Bonnie en Clyde van onze generatie, zegt *de Vrije Media*. Het Sundance Stel zegt het *AD, de Volkskrant* noemt jullie desperado's van de jonge liefde. Ik heb ze allemaal gelezen. Hoe kan zij jou...'

'Wat een gelul.' Jay sprong overeind, blij dat hij zijn woede ergens anders op kon richten dan op zichzelf. 'Wat een onzin. Die mensen weten niks. Ze schrijven maar wat. Ze waren er niet eens bij.'

'Nou, die Kok van *de Vrije Media* zegt dat hij jullie dagen heeft gevolgd en hij noemde jullie band, en ik citeer: 'onzichtbaar en knetterend als een rockzender in de ether', ik weet ook niet echt wat hij daarmee bedoelt, maar hij was er blijkbaar wel bij...'

'Het gaat ook helemaal niet over iets dat met woorden te begrijpen is. Dus hoe kunnen ze in een krant ook maar iets... Met woorden kom je er niet. Daarom kan ik er ook niet over praten. Woorden zeggen niet wat mensen echt bedoelen.'

'Maar weet Rachel dat ook?'

'Wat?'

'Als zij weet dat het maar woorden waren, dat je haar niet echt hebt verraden...'

Hier had Jay niet meteen een antwoord op. Hij stond op en keek om zich heen. Zocht toen met zijn ogen de glits in de auto.

'Weet je, bij ieder ander zou ik dat geloven, maar zij...'

Bas wachtte tot Jay zijn zin zou afmaken, maar Jay opende het portier en reikte met twee armen naar de glits.

Er kwamen steeds meer auto's bij. Naast de man met zijn dochter en het oudere echtpaar waren er nog drie auto's gestopt en alle inzittenden hurkten of stonden om het wezen dat naast een apetrotse Bas in het gras zat. Jay liep op en neer tussen de bomen met de telefoon van Bas tegen zijn oor. Hij belde met zijn moeder.

'Vic heeft hem getraceerd,' zei Klein triomfantelijk en hij klapte zijn telefoon dicht. 'Hij is aan het bellen, acht kilometer van hier.'

'Wat een idioot,' grijnsde Svensson. 'Locatie?'

'Victor sms't het direct naar het navigatiesysteem.'

Rachel zat achterin en keek op noch om. Haar gedachten waren bij het moment dat haar schoen de slaap van Jean Maas geraakt had. Hoe hard had ze geschopt? Wel hard, maar niet overdreven, toch? Ze had Jay weleens harder geschopt. Niet hard genoeg. De verrader. Die had het geweten en het haar niet verteld.

Wat dacht hij wel? En dan had hij dus een dode man beroofd. En alles voor zich gehouden en pas op het laatste moment... De geraffineerde klootzak. Wat een *player*. Wat een gladde, vieze, doortrapte... Nu zat ze alweer niet aan Maas te denken. Terwijl ze vond dat ze hem tenminste dat wel schuldig was. En in plaats daarvan zat ze aan die smiecht te denken, waarvan ze heel even dacht dat hij... nu deed ze het weer.

Ze stampvoette achter in de Ford waardoor Ger Brasem haar vragend aankeek.

'Had... had Maas kinderen?' dwong ze zichzelf te vragen.

'Ja, drie bloedjes van kinderen,' riep Klein van voren. 'Besef je wat je gedaan hebt?'

Brasem schudde echter zijn hoofd.

'Wat gebeurt er met hem?' vroeg Rachel.

'Wat gebeurt er met jou, zul je bedoelen?' riep Klein.

'Hij wordt gecremeerd,' zei Brasem zachtjes.

'We hebben je ouders het laten weten. Niet het hele verhaal. Dat gaan we straks afstemmen. Maar het tuchthuis zou te goed voor je zijn. Laten we eerst dit glibberglitsding opruimen. Hier omdraaien.' Klein klonk alweer zakelijk.

Stef Goossens liet zijn ogen over het scherm gaan. Wat een wonderlijk wezen was het. En dat slechts vanaf een telefooncamera en op een YouTube-filmpje. Hij keek nog eens om zich heen naar de redactie van *de Vrije Media*. Ook al overleefden ze dit drama over deze glits, zouden ze dan deze nieuwe manier van nieuwsvergaring wel overleven? Gek genoeg werd hij daar niet bang of boos om. Hij was blij met dit filmpje. Het was eerlijk, het was direct en het liet zien dat zij niet alles verzonnen hadden. Maar bovenal werd hij kalm door alleen maar naar dat wezentje te kijken.

Zijn intercom zoemde. Hij negeerde het geluid.

Het hield op om daarna meteen weer te zoemen.

'Nu niet,' zei hij met een vinger op de knop. Hij wist dat het zijn secretaresse zou zijn.

'Ik heb de moeder van Jay de Bono aan de lijn.'

'Ik ben bezig. Zet het door naar Joris. Die zit in de auto. Hij is richting de A12 vertrokken. En vraag haar e-mail, ik stuur wel een linkje door.'

'Stef, ik denk dat je dit telefoontje wel wilt hebben.'

'Nee, dat wil ik niet.'

'Stef, ik denk het wel.'

Zo zeker van zichzelf klonk zijn secretaresse niet vaak. Toch kon hij het niet laten om licht cynisch te klinken. 'O ja, en waarom dan wel?'

'Ze heeft haar zoon net aan de lijn gehad en ze heeft een nummer waarop je hem kunt bereiken.'

Stef Goossens glimlachte en deed zijn computer uit. 'Tot straks,' zei hij nog tegen de glits op het scherm.

'Wat zei je?' vroeg zijn secretaresse.

'Dat was niet tegen jou.'

***

Jay vond na enig zoeken het uitknopje op de telefoon en liep terug naar Bas en het wezen. Dat er nu tien mensen bij waren die via Bas allerlei vragen stelden irriteerde hem niet. Hij voelde zich weer sterk. Hij stond als het ware midden in zijn gang en zag de weg voorwaarts helder voor zich. Bas keek op toen Jay zich bij hen voegde. Jay kon een kleine glimlach niet onderdrukken bij het zien van de naambadge die nog altijd op zijn borst prijkte.

'Ik heb de krant gesproken,' zei hij en hij overhandigde Bas zijn telefoon. 'Ze komen ons hier halen.'

Bas knikte alsof het de gewoonste zaak van de wereld was.

'Steeds meer mensen weten ervan. En we gaan een persconferentie geven. Een heel grote,' zei Jay en hij keek op om te zien of de auto die nu met grote snelheid de parkeerplaats op reed de Skoda van Joris Kok al was. Dat was niet het geval. Dat was ook wel erg snel geweest.

Frank Mahler had een vrije dag. Zoals gewoonlijk bracht hij die door met zijn duiven. Hij liet dan drie duiven los op verschillende locaties en belde dan geregeld met huis of ze al waren aangekomen. Zo kwam hij uit het Veenmeerse bos gelopen met zijn telefoon aan zijn oor toen een blauwe Ford met veel lawaai tot stilstand kwam naast zijn auto. Twee mannen sprongen eruit en het was net een slechte film zoals ze heen en weer renden op zoek naar een boef die buiten beeld bleef.

Uiteindelijk sprak de kleinste van de twee hem aan.

'Wij zoeken Frank Mahler, kent u hem toevallig?'

'En of ik hem ken,' zei Frank.

'Geen spelletjes. Is hij in het bos?' vroeg Klein.

'Niet meer. Hij is nu hier.'

'Waar dan?' Svensson en Klein keken nog een keer in de rondte. Er was echt niks waar iemand zich zou kunnen verstoppen.

'Ik ben het. Waar gaat dit over?'

'U bent Frank Mahler? Verdomme, hebben we de verkeerde? Hoeveel mensen met die naam kunnen er bestaan? Kut, Victor.' Klein opende zijn telefoon maar keek de man nog steeds aan. 'We zoeken een Frank Mahler die bij een benzinestation werkt.'

'Dat ben ik. Bij de Shell langs de A12. Vandaag ben ik vrij. Is er iets gebeurd?'

'Maar iemand had een badge op met uw naam.'

'Dat doen we allemaal weleens. Dat kan iedereen zijn.'

Woedend draaide Klein zich af van de man en gaf de rechtervoorband van de Ford een enorme schop.

Het weerzien met Joris Kok was bijzonder. Niet alleen verstond Jay hem en kon Joris ook Jay verstaan, er was nog iets anders. De glits verbond hen als een draadje tussen twee conservenblikjes. Misschien kwam het daardoor dat de journalist niet meer uitstraalde dat hij koste wat het kost achter een verhaal moest komen... Hij stond er gewoon. Hij was gewoon aanwezig om te kijken, te luisteren en vooral te voelen hoe het was om bij hen te zijn.

Er waren inmiddels bijna vijftig mensen op de parkeerplaats. Nadat Joris langdurig kennisgemaakt had met de glits nam hij Jay even apart.

'We kunnen beter snel gaan. Ik reed langs het Shell-station dat op YouTube te zien was en daar staan al bijna honderd mensen. Als die weten dat jullie hier zijn wordt het erg druk denk ik.'

'Maar het is toch juist goed als veel mensen weten dat hij er is?'

'Dat is wel zo, maar we hebben ook gezien dat dat ze niet tegenhoudt om geweld te gebruiken. En zij kijken ook op het internet natuurlijk. Dus te veel mensen maken het onveilig. Kom, we nemen jullie mee naar een hotel.'

'Een hotel?'

'Ja, joh. Een luxehotel aan het strand. Dan kunnen jullie uitrusten en dan gaan we morgen daar een persconferentie geven.'

'En Rachel?'

'Ja, dat weet ik niet. Laten we eerst maar het hotel veilig bereiken. Je moeder komt er ook naartoe.'

Jay knikte. Wat kon hij doen voor Rachel? Niets. Het was niet anders. En het woord uitrusten klonk zo gek nog niet.

Ze namen afscheid van Bas, die uitgenodigd werd de volgende dag bij de persconferentie aanwezig te zijn. Bas blokkeerde met zijn Clio de oprit naar de snelweg terwijl zij in de Skoda wegreden, zodat er niemand hen zou volgen.

Jay zat naast het wezen op de achterbank terwijl Joris reed.

'Het hotel heeft een parkeergarage met een lift. Dus we kunnen ongezien naar boven. We hebben ook geen gewone kamer, dat zul je zien, maar een met maximale veiligheid.'

'O.'

'En Stef, mijn hoofdredacteur, is voor morgen allerlei beroemde mensen aan het regelen die hem kunnen ontmoeten en uitleggen wat mensen allemaal doen op deze planeet.'

'Dat wil hij niet.'

'Wat?' Joris keek helemaal om en daardoor zwaaide de Skoda vervaarlijk naar de andere rijbaan.

'Hij wil niet weten wat wij hier dóén. Hij wil weten hoe we hier zijn.'

'Ja natuurlijk. Dat bedoelde ik ook,' zei Joris. Een ongemakkelijke stilte volgde.

Ze kwamen bij stoplichten. 'Wacht, ik zit in de verkeerde baan.'

Jay keek door de voorruit en zag dat Joris snel naar de baan stuurde onder een verkeersbord met Scheveningen erop.

'Sommigen van de slimste en machtigste mensen van Nederland komen,' ging Joris verder toen het licht op groen was gegaan. 'Die kunnen al zijn vragen beantwoorden. Het wordt geweldig, vier camerateams... Dit wordt de uitzending van de eeuw. Dit kan de hele wereld over gaan. Zij willen hem natuurlijk ook vragen stellen.'

Jay haalde zijn schouders op. En het interesseerde hem niet dat Joris dat niet kon zien. Hij was blij dat ze gered waren, maar waar die Joris het nu over had voelde allemaal raar, alsof er een vergissing gemaakt werd.

Ze stonden weer bij een stoplicht en Joris keek om. 'Jij gaat ook beroemd worden, Jay, besef je dat? Je leven zal nooit meer hetzelfde zijn.'

'Dat is het toch al niet,' bromde Jay uit het zijraam. Een gezin van vier zat op de fiets, overduidelijk op weg naar het strand. De vader had de strandbal en de opblaasbare alligator bij zich en vooral de alligator werkte niet mee. Die had heel andere plannen, hij zwabberde en zwaaide in de wind en uiteindelijk lukte het hem om los te komen en tientallen meters terug te glijden wat tot tranen van het meisje leidde, terwijl de jongen zijn vader wilde helpen om het beest weer in het gareel te krijgen.

Al ging het jongetje ook huilen toen zijn vader het beest bestrafte door alle lucht eruit te laten lopen. Dit was te wreed.

De auto reed verder. 'Je moet er nooit te vroeg leven in blazen,' zei Jay.

'Hoe bedoel je?'

'Niks.' Jay keek opzij. De glits zat klein en tevreden op de bank naast hem. Die wachtte gewoon, maakte zich geen zorgen, leek wel te slapen. Jay dacht er even aan om hem wakker te maken, om alles buiten te laten zien. Maar hij besefte dat hij dat alleen maar wilde omdat hij zich alleen voelde. In plaats daarvan leunde hij achterover en sloot zijn ogen.

De wereld ontglipte hem bijna meteen.

Toen Jay wakker werd stond de auto in een parkeergarage en had hij niet meteen door dat hij alleen was. Dit was hem ook als kind een keer overkomen.

Hij werd wakker terwijl de bekleding van de achterbank nog aan zijn wang plakte. Het eerste werden de silhouetten van de voorstoelen zichtbaar. De hoofdsteunen stonden beide fier overeind op twee glimmende stangetjes, als ware het trofeeën of de achterkanten van de tronen van een middeleeuwse koning en zijn middeleeuwse koningin. De een iets hoger dan de ander. Een fiere en trotse eenheid. Waardoor een donkere, onoverzichtelijke parkeergarage geen angst kon inboezemen. Het koninklijke duo was er immers.

Toch?

Het was wel een beetje stil. Er cirkelde een gevoel van leegte over de achterbank die nu een weg bij hem naar binnen vond en in het diepst van zijn lichaam op zijn botten een melodietje begon te tikken...

Hij was alleen!

Hij duwde zijn hoofd tussen de voorstoelen naar voren. Links donker, klinisch leeg. Rechts donker, klinisch leeg. Met een ruk zat hij weer kaarsrecht tegen de achterbank. Daarbuiten was een wereld en hij was hier. Klak, klak, klak, klak. Met één druk op een knop sloot hij alle vier portieren af en ging opgekruld op de achterbank liggen. Als hij die wereld niet zag, dan had je volgens alle logica een kans, een belangrijke kans, dat die wereld hem dan ook niet zag. Deze kans was alles wat hij had. Dat en de achterbank.

Gebons op het achterraam maakte hem duidelijk dat niet gezien worden hem niet gegund was. Met een traagheid die prijzen zou winnen als er ooit voor traagheid prijzen zouden zijn kwam hij overeind en keek door het raam.

Joris Kok stond naast de glits. Joris had zijn stoffige, grijze colbert over de schouders van het wezen geworpen. Het maakte niets uit.

Het was even onbevattelijk mooi als altijd. Meer aansporing had Jay niet nodig. Hij was overeind en de auto uit voordat Joris nog een keer op het raam had gebeukt.

Klein zat in het verhoorkamertje tegenover Rachel. Hij had in zijn tijd alle mogelijke soorten verhoren gedaan. Van witteboordencriminelen tot zelfmoordterroristen, dus het ging er bij hem niet in dat hij een vijftienjarig meisje niet zou kunnen kraken. Hij moest haar kunnen breken, haar in tranen kunnen krijgen en alles laten bekennen wat hij maar wilde.

Zij reageerde nergens op. Het dreigement dat hij de banen van allebei haar ouders zou doen verdwijnen maakte wel iets bij haar los... een glimlach. 'Je doet maar,' had ze gezegd en ze verdween weer in haar ondoordringbare schulp.

Uit het oneervol ontslag van Joop van Zanden haalde Klein ook geen voldoening. Met Joop was niets mis geweest tot de komst van die verdomde glits. Hoeveel goede mannen ging de glits hem kosten? En nu noemde hij hem zelf ook al glits. Waar moest dit eindigen?

22

Het Steigenberger Kurhaus Hotel in Scheveningen heeft één verdieping, de negende, waar luxe suites en privéappartementen zijn. De normale liften vanuit de lobby kunnen deze verdieping alleen bereiken als je een kamersleutel van een van deze kamers, een plastic kaartje zo groot als een creditcard, in de daarvoor bestemde gleuf steekt.

Naast een schitterend uitzicht over de zee, het strand en de altijd drukke boulevard was de aparte lift vanuit de parkeergarage een van de facetten waardoor het populair was onder veel beroemde mensen uit binnen- en buitenland. Zowel popsterren als bekende politici hadden weleens in de lift gestaan die nu met Joris, Jay en de glits erin, zo goed als geruisloos door het binnenste van het gebouw omhoogschoot.

Er waren geen tussenliggende stops voor deze lift. Het was P of 9, boven of beneden en niets ertussenin.

Pas toen Jay uit de lift gestapt was en over een zacht en verend, rood tapijt liep, langs muren met een gouden balustrade en bruin-goud behang, vroeg hij zich af of dit wel het soort leven was om de glits te tonen.

Straks zou hij denken dat iedereen zo'n gang had met antieke spiegels en staande klokken erin. Maar net als de eerste keer dat hij in de auto van Maas had gezeten, had die luxe al snel een effect op hem... het had wat. Het was lekker. Het maakte iets hongerig in zijn maag, niet naar eten, naar meer... meer van dit lekkere, meer van dit pluche. Alleen hoorde dat op de een of andere manier niet bij de glits en dus probeerde hij van dat gevoel af te komen.

Ze liepen langs twee deuren met een goudkleurig bordje erboven. Op het ene stond 9003 en op het andere 9004. De kamers hadden toch gewoon nummers op deze deftige verdieping. Bij 9005 stopte Joris en met hetzelfde kaartje waarmee hij de lift in was gekomen opende hij nu de deur.

Het eerste wat opviel bij het binnenlopen van kamer 9005 was het licht.

Een wand van glas liet niet alleen het zonlicht binnen, ook het glinsterend zeewater dat tot aan de horizon opgewonden fonkelde was zichtbaar alsof het iets heel bijzonders meemaakte. Het had natuurlijk niets met hen te maken, maar toch... Jay zag het als een gouden welkomstmat die hem uitnodigde om binnen te komen en vooral ook meteen door te lopen, het balkon op, de zee over... De wereld was voor hem met goud geplaveid en lag aan zijn voeten. Aan hun voeten.

Jay keek omlaag om te zien of de glits ook onder de indruk was. De zee was zo aanwezig, je rook hem, je voelde hem op je wangen, hij moest dat toch merken. Maar de reactie van de glits was zo onverwacht dat Jay meteen al zijn eigen verrukking vergeten was. De glits hield twee doorzichtige handen uit als om een wesp te weren.

'Niet,' zei het. 'Niet nog.'

'Wat zei hij?' vroeg Joris meteen.

Wat bedoelde het? Jay mocht natuurlijk niet laten blijken dat ook zij elkaar weleens niet begrepen. 'Het licht is te fel,' zei hij.

'Ik zet het glas wel op donker,' zei een stem vanuit de kamer. Het was een gezette man in korte broek en met een openhangend overhemd. Hij ging staan en werd een silhouet tegen het licht. Met iets in zijn hand richtte hij op de glazen wand die begon te verkleuren. Langzaam werd de man duidelijker zichtbaar. Hij had een lange snor die als een vluchtige penseelstreek zijn gezicht in tweeën deelde. Het leek of het de bovenste helft van zijn hoofd moest onderstrepen.

'Dit is Stef Goossens,' zei Joris. 'Mijn hoofdredacteur.'

'Wel, wel, het wonder met eigen ogen te aanschouwen, komt u maar, komt u maar...' Goossens maakte een weids gebaar met één arm.

De glits had zijn armen nog steeds werend voor zijn gezicht.

Joris keek Jay vragend aan. Die keek om zich heen. Niet nog. Wat moest hij daarmee? 'Is er een kamer zonder uitzicht?' vroeg hij.

Goossens lachte hard. 'Zonder? Weet je wat we hiervoor betalen?' Hij leek zich echter snel te herstellen. 'Er is één kamertje, een soort bagagekamer, met een bedbank.' Hij wees op een deur links van Jay. 'Voor personeel denk ik.'

De glits zat op de bank met zijn rug tegen de leuning aan. Hij zag er zo breekbaar uit en tegelijk ook onbreekbaar, alsof hij elk moment in duizenden stukken uit elkaar zou kunnen spatten, en tegelijk had je het gevoel dat hij oorlogen, orkanen en eeuwen zou kunnen overleven. Al had overleefd...

Weg van de luxe en het overweldigende uitzicht kon Jay het wezen alle aandacht geven en Joris en Goossens deden dat ook.

'Asjemenou, nou breekt mijn klomp,' zei Goossens. 'Er is geen woord gelogen. Dit is niet nep.'

De glits en hij namen elkaar zo goed en zo kwaad het ging op.

'Weet hij wat er morgen gaat gebeuren?'

'Ik weet nog niet eens wat er gaat gebeuren, dus hoe kan hij...' begon Jay.

Goossens was naar Joris gedraaid. 'Kunnen we het zonder dit joch?'

Jay hield geschokt zijn mond.

Joris schudde zijn hoofd. 'Met hem erbij heb je de menselijke *angle,* iemand om je in te verplaatsen.'

Goossens bekeek Jay met toegeknepen ogen. 'Dat verhaal hebben we al gehad. Nu hebben we het mysterie zelf.'

'Hij vertaalt ook.'

'Maar krijgt hij niet te veel praatjes?'

Jay kon het niet geloven dat ze zo over hem spraken waar hij bij stond. Alsof het er niet toe deed dat hij het ook hoorde. Dat hij gewoon niet belangrijk was. Terwijl hij...

'Want die Stein of Tobias kunnen natuurlijk ook vertalen. Dat meisje was niks zei je, geloof ik?' Goossens kauwde op zijn snor terwijl hij het wezen bekeek en daarna weer Jay.

'Stef...' zei Joris.

Goossens grinnikte. 'Jay, maak je geen zorgen. Niemand is eropuit om je te passeren. En wij zeker niet. We willen alleen dat je met ons meewerkt. Wij hebben je uit de penarie gehaald. Wij staan aan jouw kant. Nu wil ik horen dat je ook aan onze kant staat. Wat jij? Werk je met ons mee?'

Jay voelde niks. Geen gang, geen kracht, geen plezier. Het enige wat hij na een tijdje voelde was het op en neer gaan van zijn hoofd. 'Ik heb honger,' zei hij vervolgens.

Als je op het terras van kamer 9005 zat kon je het gekrioel op de Scheveningse boulevard zien. Draaimolens, ijscomannen, ballonnenverkopers, schoenenpoetsers. Onder de boulevard was het strand, bezaaid met strandstoelen en parasols. Ook daarop was er van alles gebouwd, houten bars, terrassen, restaurants. Het meest imposante van dat alles stond rechts, een enorme steiger was de zee in gebouwd, de pier van Scheveningen, waarschijnlijk om te laten zien dat mensen konden gaan en staan waar ze maar wilden. En dat deden ze. Overal liepen, stonden, zaten, lagen of zwommen mensen. De meesten waren nauwelijks gekleed en of ze dat juist meer mens maakte of minder daar kon Jay niet over uit. Hij kon het ook even niet aan iemand vragen, dus nam hij maar een hap van zijn clubsandwich die de roomservice gebracht had.

Goossens was niet weg te slaan van de glits. En aangezien het wezen dat kamertje niet uit wilde zat de man daar ook. Joris was Jays moeder beneden aan het opwachten. Die zou dus zo wel komen. Maar zo'n vraag kon je niet aan je moeder stellen. Als Rachel er was geweest, ja... 'Rachel, vind je dat kleren mensen meer mens maken of minder?' zei hij tegen de lege stoel naast hem. Het werkte niet.

Hij voelde zich alleen maar schuldig als hij aan haar dacht.

Dan kon hij beter nog wat bestellen. Hij slurpte zijn milkshake helemaal leeg en pakte de roomservicekaart die voor hem op een voetje stond. Een sorbet vond hij wel interessant klinken.

Rachel zat voorin. Naast Ger die weer in zijn eigen auto mocht rijden. Ze gingen haar laten overnachten in een of ander opvanghuis, waar ze dan nog wat gesprekken zou hebben met daartoe opgeleide mensen. Mensen die waren opgeleid om gesprekken te voeren, daar wilde je toch bij voorbaat al niet mee praten?

Haar ouders zouden haar daar de volgende dag ophalen. Ze waren nog in het buitenland waar ze wonderwel alle berichtgeving gemist hadden. Klein had ze echter binnen een uur aan de telefoon gekregen. Ze waren vanzelfsprekend geschokt en dolblij dat hun dochter weer terecht was en in de goede handen van de politie was.

Ze reden over een snelweg. Rachel keek uit het raam naar verkeersborden die mensen vertelden welke kant ze op moesten. Hier voorsorteren voor X, hier afslaan voor Y, u bent nu zoveel kilometer verwijderd van Z, u mag hier niet harder dan zoveel. Waar bemoeiden ze zich allemaal mee?

Ze draaide in haar stoel. Liever nog werd ze weer ondervraagd, want dan kon ze tenminste... dan kon ze tenminste niets zeggen. Keihard en staalhard niets zeggen. Dat werkt het lekkerst als iemand wil dat je iets zegt. Zoals die Klein. Wat een mannetje zeg. Enger dan dat werden ze niet meer gemaakt. Net zo'n creep uit een maffiafilm, of nee, een horrorfilm.

Dan was Maas nog een goeie geweest. Hij kon je nog aandacht geven op een manier die, nou ja, die echt voelde. Hij had de glits uiteindelijk ook gevoeld. Niet begrepen zoals zij kinderen dat gedaan hadden, maar wel aangevoeld. Dat had hem ook warmer gemaakt en... bijna... lief. Shit. Prikten haar ogen nu? Zij moest echt ophouden!

'Ger,' zei ze.

Ger keek verbaasd opzij. Rachel begon niet zo vaak uit zichzelf te praten en zeker niet op deze toon.

Rachel wilde ergens over praten, gewoon zomaar iets, koetjes en kalfjes, smalltalk, een gesprek over niets.

'Waar woon jij?'

'Hoezo?' vroeg hij achterdochtig.

'Zomaar. Je weet wel... conversatie.' Rachel haalde zo onhandig haar schouders op dat Ger medelijden kreeg.

'In Leiden.'

'O, dat zag ik op de borden net.'

'Ja.'

'Dus dan ben je meteen dicht bij huis, toch?'

'Nee, ik moet hierna nog... ik moet nog langs bij... nou ja, ik moet nog iets doen. Ik moet nog terug.'

'O.'

Ze zwegen. Waarom was smalltalk het moeilijkste dat er was? Rachel keek maar weer uit het zijraam. Hoe deden andere mensen dat? Werden mensen ook opgeleid om dat soort gesprekken te voeren? Bij haar sloeg de ander altijd dicht. Of vertelde gewoon niks. Of...

'Ik moet naar het huis van Jean Maas,' zei Ger ineens.

Boem. Dat kwam aan. Meteen was het geen smalltalk meer.

'Dus daarom moet ik nog terugrijden,' zei Ger voorzichtig, niet zeker of hij er nou goed aan deed door dit te vertellen.

'Woont hij, woonde hij... Is dat huis in de buurt?'

'Het is gek. Hij woonde in een hotel. Een heel luxe hotel bij het strand. Hij had nooit zijn eigen huis, heel raar eigenlijk, alsof hij… alsof hij niet een echt leven wilde.'

'Wat is dat dan, een echt leven?'

'Ja…' Ger nam een tic tac, bood haar er ook een aan, maar gaf verder geen antwoord.

'Ik wil het zien,' zei Rachel na een tijdje. 'Ik wil zijn huis zien.'

Ger reageerde niet. Hij bleef gewoon rijden alsof ze niet eens gesproken had.

'Verdomme, ik heb er recht op. Jullie zeggen dat ik hem vermoord heb, stel dat dat zo is, dan hoor ik toch iets te weten van die man. Dat is het minste.'

'Rachel, je bent echt onmogelijk. In niets werk je mee en dan verwacht je wel dat anderen voor jou iets doen. Geef me één goede reden waarom ik je daar mee naartoe zou nemen.'

Rachel nam de tijd. Eén goede reden. Ineens zag ze het kaartje voor zich dat op de grond lag in de gang, hun gang. Daar stond de naam van een hotel op.

'Ik denk dat Maas het gewild zou hebben. Hij wilde me iets laten lezen. Een of andere dichter die al heel lang dood is die de glits ook kent of zoiets, dat moest je dan lezen terwijl je uit zijn raam keek. Hij heeft me dus eigenlijk uitgenodigd.'

'Ja, ja,' zei Ger.

'Naar het Steigenberger Kurhaus Hotel.'

Ger keek haar met open mond aan. 'Hoe weet jij...'

'Van Maas.'

'Maar hij vertelde nooit iets over zichzelf.'

'Juist wel, alleen luisterde niemand goed.'

'En heb je drie dagen door die gang gelopen?'

'Ja, nee, tijd is anders als je in je gang bent. Dus het leken niet drie dagen, hoogstens een paar uur. Alleen de buitenwereld was gewoon doorgegaan.'

'Ik snap daar helemaal niets van, weet je dat.'

Jay lachte. 'Dat snap ik.' Hij nam een hap van zijn ijsje. Hij liep met zijn moeder over de boulevard. Ze waren even naar de pier geweest.

Het weerzien op de kamer was eerst ongemakkelijk geweest. Zijn moeder had gehuild en gezegd dat het allemaal aan haar lag. Daarna was ze boos geworden en had ze gezegd dat het allemaal aan Jay lag. Uiteindelijk hoorde ze dat er een hoop werk te doen was voor de persconferentie de volgende dag en werd ze weer een beetje zichzelf. Ze begon allerlei lijstjes te maken van wat Jay moest doen of wat zij voor Jay kon doen.

Het raarste vond Jay dat ze nauwelijks interesse in de glits had. Hij was misschien niet op zijn imposantst in het kleine kamertje, alsof hij de reisversie van zichzelf nog niet had uitgepakt, maar toch... hij was de glits. Jays moeder was echter vooral met haar zoon bezig. Alsof ze aan de wereld wilde laten zien dat ze in ieder geval een goede moeder was. En dat mocht van Jay. Waarom niet?

Dus toen ze voorstelde om even samen een ijsje te gaan halen in de langgerekte kermis die daarbeneden te zien was had hij meteen ingestemd. De kleuren, de geluiden, de mensen, het beloofde allemaal iets... iets van vermaak, jezelf verwennen, jezelf iets lekkers gunnen... en hij was daar wel aan toe. Een uurtje en dan moest er gewerkt worden, had Goossens gezegd en hij had hem de sleutel van het appartement meegegeven.

'Maar die gang, waar is die dan?'

'Dat weet ik niet precies. Ieder heeft zijn eigen gang en het heeft ook met *hem* te maken op een of andere manier.'

'Hem?'

'De glits.' Jay wees naar het hotel dat nu in beeld kwam.

'O.'

Jay stopte bij de draaimolen die voor de ingang van het terras van het hotel stond. 'Mam, hoe kan het dat je hem niet bijzonder vindt? Mensen vallen bijna om als ze hem zien en jij kijkt niet eens. Zie je het niet of zo?'

Jay stond stil en keek naar zijn moeder in haar blauwe mantelpak met een ketting van een of andere steensoort uit Latijns-Amerika. Ze had meer make-up op dan anders en Jay baalde zoals gewoonlijk van haar ijdelheid, maar zag nu ook dat er grote schaduwen onder haar ogen zaten waar geen make-up tegenop kon.

'Door dat ding ben ik je bijna kwijtgeraakt,' zei ze.

Jay schudde met zijn hoofd. 'Je begrijpt het echt niet.'

Op het terras keek een keurig geklede ober Jay vragend aan. Jay stak even de sleutel van het appartement omhoog en de man knikte verwelkomend. Dat gaf Jay voldoening. Hij hoorde hier thuis. Hij mocht hier zijn. Dat was een goed gevoel.

De laatste keer dat hij dat gevoel had gehad was toen hij door zijn eigen gang liep. Daar hoorde je dan ook thuis. Daar mocht je altijd zijn. Dan klopte het dat je er was. Hij vroeg zich af of hij dat gevoel daarvoor ooit had gehad.

Hij liep voor zijn moeder uit door de gangen naar de lift. Steeds ging zijn rechterhand naar zijn voorzak om de sleutel te voelen. Er was nog een reden dat hij maar niet van die sleutel kon afblijven. Hij had precies zo'n kaartje eerder gezien. Zijn linkerhand wreef nu even over zijn andere voorzak. In de portefeuille van Maas bevond zich ook zo'n kaartje. Daar was hij zeker van. Hij wist nu ook waar hij de naam van het hotel eerder had gezien.

Voor de lift stond Joris op hen te wachten.

Zijn moeder kwam naast Jay lopen. 'En dat meisje, is die hier ook ergens?'

'Nee, ik heb geen idee waar die is.'

23

'Zo is het toch wel goed?'

De meneer van Bilbo-potloden was echter niet tevreden. 'Hij moet er echt op sabbelen. Probeer anders de 5B...' Hij pakte een van de andere potloden die in een mooie display waren uitgestald.

Dit was al de vijfde persoon met wie Jay moest praten. Deze man was van een potlodenmerk en hij sponsorde de uitzending, alleen dan moesten zijn potloden wel genoemd worden.

'Hij wil nu gewoon even niet. Het ligt niet aan het potlood.'

'Oké, als je er maar voor zorgt dat hij morgen wel wil.'

'We doen ons best,' zei Jay. Hij hoopte dat de man nu weg zou gaan.

'En ik wil dat hij zegt: "Bilbo zijn de beste." Niet de lekkerste, maar de beste.'

'Hoe kan ik controleren wat hij zegt?' zuchtte Jay.

'Jij vertaalt toch alles, is mij verteld.'

'Ja, maar is dat niet een beetje...'

'Luister jongeman. Bevalt dit hotel je?'

'Wat?'

'Bevalt het hotel je?'

'Ja, het is prima.'

'Prima?'

'Nou, erg goed dan. Fantastisch zelfs. Maar wat heeft dat...'

'Wij betalen dat. Begrijp je? Dat doen wij. Jij zorgt dat hij zegt "Bilbo zijn de beste potloden". Dat doe jij. Wij doen iets. Jij doet iets. Zo werkt de wereld. Ben ik helder?'

Jay knikte.

'Hebben wij een heldere afspraak?'

Jay bleef knikken. Hij wilde van deze man af.

'Oké, ik haal de papieren om te tekenen.' De man bekeek het wezen nog even. 'Ik hoop dat dat doorschijnende niet te eng overkomt op de televisie. In het echt is het creepy.' De man verliet het kamertje.

Goossens stak zijn hoofd om de hoek. 'Oké, het volgende is je script. Maar de producer wil dat je het beneden in de zaal oefent.'

'Script?'

'Ja, joh. Als de halve wereld kijkt, kun je niets aan het toeval overlaten. We gaan naar de koepelzaal. Je weet niet wat je ziet!'

'Meneer Goossens. Deze mensen die ik gesproken heb, die politici, geleerden en zakenmannen, moeten zij hem vertellen wat wij hier doen, hoe we hier zijn?'

'Ja natuurlijk, jongen. Zij kennen de wereld. Zij maken de wereld tenslotte. Hij krijgt de beste uitleg die er is. Hij zal alle aspecten van het leven hier kunnen vragen aan de mensen die het maken. Hoe mooi is dat? Internationaal ook. De VN, de Wereldbank, we zorgen ervoor dat alle rassen vertegenwoordigd zijn en alle continenten. Die woonden toch al in Den Haag, weet je.'

'Maar ze weten niet hoe het werkelijk is. Ik bedoel, ze staan er zo ver vanaf.' Jay zuchtte. 'Weet je, ik denk dat ik nog liever mijn leraren van school zou hebben. Die kunnen toch ook uitleggen wat het leven hier is. Dat horen ze toch te kunnen. Op een manier dat wij het begrijpen. Ik denk dat hij dat nodig heeft.'

'Ze komen ook. We hebben je school al uitgenodigd voor morgen. Je hele school komt.'

'Wat?'

'Ja, we willen ook publiek hebben, en zij zijn onderdeel van het verhaal. Die andere kinderen, Stein en Tobias, waarschijnlijk ook. Die Bas zal er zijn. Alleen jammer van het meisje. Maar goed, naar beneden, we gaan de doorloop doen. En laat de communicatie maar aan ons over, dat is ons vak.'

'Ik moet naar de wc en ik moest nog iets tekenen,' zei die man.'

'Welnee, je moeder tekent alles voor je. Daar hoef je je helemaal geen zorgen over te maken. Schiet op.'

Op de wc bekeek Jay het kaartje uit de portefeuille van Maas. Het zag er precies zo uit als hun kamersleutel. Het was dus van hier. Alleen stond er geen kamernummer op.

'Hij woonde in een hotel, maar hij had wel een eigen lift vanuit de garage.' Ger drukte op de 9. Rachel zag dat de enige andere optie een P was. Het leek een 9 in spiegelbeeld. Alsof iemand wilde zeggen dat boven hetzelfde was als beneden, alleen omgedraaid. Als Jay er was geweest had ze het hardop gezegd, die kon wel genieten van zo'n zin. De lift maakte nauwelijks geluid en je kon niet echt zeggen dat je bewoog. Je wist dus niet of je stilstond of in beweging was, je wist eigenlijk niet wat je deed. Nu moest ze zelfs even grinniken. Weer zo'n zin waar Jay om gelachen zou hebben. Het kwam haar in ieder geval op een indringende blik van Ger te staan. Die gezien de omstandigheden niet verwachtte dat ze zou lachen.

Rachel probeerde geruststellend naar hem te glimlachen. Ze was echt blij dat ze hier stond. Het klopte gewoon dat ze dit ging doen. Ze was op de goede weg. Alsof ze in haar gang liep. Maar dat kon ze natuurlijk niet zeggen, dus probeerde ze het gewoon uit te stralen zodat Ger wat minder zenuwachtig zou zijn. Hij draaide namelijk de rol vuilniszakken die hij bij zich had maar om en om met zijn handen.

'Voel het. Voel het alvast.' Sjo Lindemeijer was de televisieregisseur die de uitzending ging maken en zijn enthousiasme was zo aanstekelijk dat je er niet omheen kon. Jay stond in het midden van een podium terwijl deze energieke Sjo op hem inpraatte.

'Niet honderden, niet duizenden, nee, miljoenen ogen zijn op jou gericht. Heb je enig idee hoe dat voelt? De wereld zal je naam kennen.' Hij keek snel op het clipboard dat hij bij zich had. 'Jay de Bono.' Hij keek even bedenkelijk en herhaalde het een paar keer. 'Ja, misschien dat we nog iets aan die naam zouden kunnen doen. Maar het kan wel. Jay de Bono. Als je het vaker zegt krijgt het wel wat, toch?'

Jay trok een wenkbrauw omhoog als antwoord en Sjo sloeg hem schaterlachend tussen de schouderbladen. 'Wacht maar tot we klaar met je zijn. De wereld zal weten wie Jay de Bono is. Is hij al naar garderobe geweest?' Deze laatste vraag richtte hij tot zijn assistent die naast Stef Goossens en Joris Kok op de eerste rij zat van een verder lege zaal. De productieassistente, een jonge vrouw met het haar en gezicht van een strenge schooljuf, raadpleegde een checklist op haar eigen clipboard en schudde het hoofd.

'Oké, straks. Eerst leer ik je hoe je moet lopen, zitten en staan. Dan doen we praten en als laatste wat je moet zeggen. Onthou één ding. Hoe je het zegt, is twintig keer belangrijker dan wat je zegt. Hoeveel keer?'

'Twintig,' zei Jay.

'Oké, we gaan lopen. Voel je het nog?'

'Ehm, nee.'

'Voel het. Geen honderden, geen duizenden, maar miljoenen ogen op jou, Jay de Bono, gericht.'

Kamer 9001. De deur zwaaide open. Ger ging als eerste naar binnen en pas enige seconden later, toen hij aangaf dat het kon, stapte Rachel ook de drempel over. De kamer was donker. Alleen de driekwart volle maan boven het balkon en ook boven de rest van de wereld zorgde ervoor dat ze iets zagen zonder het licht aan te doen.

Nu ze er was wist ze ineens niet meer wat te doen. Uit gewoonte liep ze maar naar de cd-verzameling die naast een stereo-installatie in de open kast prijkte. Ze moest de cd's naar het raam toe houden om bij het licht van de maan te kunnen lezen. Van niet één naam had ze gehoord, of wacht, Pavarotti… was dat niet die dikke operazanger? Het plaatje voorop gaf in ieder geval voor de helft antwoord. Ze keek om. Ger was de inhoud van de la van een schrijftafel in een vuilniszak aan het stoppen. Als een echte inbreker.

Ze stopte de cd in de speler en drukte op 'play'.

Zelden zal Pavarotti zo weinig klanken hebben voortgebracht voordat hem de keel gesnoerd werd.

Ger had op de stopknop gedrukt en keek haar nu met een beschuldigende blik aan.

'Geen geluid,' fluisterde hij en precies op dat moment ging de *Dukes of Hazzard*-ringtone van zijn telefoon af. Rachel kon het niet helpen en lachte hardop.

Ger liep met zijn telefoon aan het oor de badkamer in. 'Daar ben ik nu…' hoorde ze hem nog zeggen.

Rachel opende de klerenkast om zo te kijken wie Jean Maas was. Of geweest was.

Toen Ger zachtjes vloekend uit de badkamer kwam, helemaal niet tevreden met de uitkomst van het telefoongesprek, trof hij Rachel in kleermakerszit voor de klerenkast aan. Ze had alle schoenen uit de kast om haar heen geplaatst en aaide nu een Italiaanse, roodbruine, leren schoen. Het zilveren licht dat naar binnen viel deed haar witte kleren oplichten alsof zij bij die lichtstralen hoorde, alsof ze ook zo was binnengekomen.

Ger vergat bijna wat hij moest zeggen. Bijna.

'Rachel. Het spijt me. Ik moet onmiddellijk ergens naartoe.'

'Moeten al zijn spullen in vuilniszakken?' Ze keek hem aan alsof hij niets gezegd had.

'Dat moet wachten. Ik heb nu echt haast. Ga mee.'

'Ger, je hebt me niet hierheen gebracht om me nu weer weg te halen.

Ik moet hier zijn. Laat mij zijn spullen inpakken. Niemand kan het beter dan ik. Dit klopt zo.'

'Dat kan ik niet maken, Rachel. Dat weet je.'

'Maar, je kon het al niet maken.'

'Dit gaat niet. Sta op.'

'Ger, heb jij weleens iemand gedood?'

'Ik ben de verkeerde om dat aan te vragen. Nou, sta op.'

'Maar hoe moet ik daarmee omgaan dan? Geef je me helemaal geen kans om... om... verder te kunnen met mezelf? Denk je dat het me niks doet? Dat ik gewoon naar school ga morgen en het in de pauze aan mijn klasgenoten vertel? Wat denk je nou?'

'Ik denk niet. Ik doe gewoon wat me opgedragen wordt.'

'Dat is niet waar, anders had je me hier niet mee naartoe genomen.'

'Verdomme. Zo zie je maar. Dat had ik ook niet moeten doen, daar komt alleen maar bullshit van. Ik sleep je gewoon mee.'

'Dan gil ik zo hard dat je me wel bewusteloos moet slaan. En dat staat lekker.'

Ger ging op het bed zitten. 'Wat gebeurt er toch allemaal. Ik moet nu naar Joop omdat hij schijnt in te bellen bij praatprogramma's en te vertellen over die... over die... over de glits. Alles staat op zijn kop. Alle tv-programma's gaan erover. Het hele land is ermee bezig. We hadden het of meteen moeten afmaken of...'

'Of...'

'Er niet zo bang voor zijn.' Ger keek haar niet aan.

Toch wist ze wat hij voelde.

Toen hij in de parkeergarage in zijn auto zat, besefte Ger dat hij niet meer wist wat hij aan het doen was. Er was iets gebroken. De muren waartussen hij al jaren rechtdoor liep, zonder na te denken, zonder te voelen, waren er nu ineens niet meer; de hele vlakte van mogelijkheden lag open. Hij kon links, hij kon rechts. Hij kon zijn eigen stappen bepalen en het was beangstigend en rustgevend tegelijk. Als hij niet gewoon deed wat hoorde, hoe wist hij dan wat goed was? Kon echt alles?

En Joop? Wat moest hij hem zeggen? Mocht die nu doen wat hij wilde? Ger startte de auto. Joop woonde hier niet eens zo ver vandaan. Hij zou zo tegenover hem staan.

Jay stond met Joris Kok en Stef Goossens in de gewone lift van het hotel. Omdat er ook andere mensen bij waren moesten ze eerst mee omhoog naar de achtste verdieping. Toen die mensen uitstapten stak Goossens zijn sleutel in de gleuf. Op het scherm knipperde even het getal 9005 en toen *Access Granted*. Ze mochten naar hun privéverdieping. Joris zei iets tegen hem, maar Jay hoorde geen woord. Hij staarde naar het scherm waar nog steeds *Access Granted* stond alsof hij daar de winnende lottoballen had zien vallen.

De kaart van Maas.

Als hij die erin stak…

Ze waren boven. De deuren gingen open. Alleen de twee heren stapten eruit.

'Ik wil nog even naar beneden.' Jay probeerde uit alle macht niet opgewonden te klinken. Joris zette zijn been tussen de deuren, zodat ze niet sloten.

'Het is laat. Morgen is een grote dag,' zei Goossens.

'Ik wil die zaal nog even op me in laten werken. Anders kan ik niet slapen. Miljoenen kijkers. Ik ben zo weer boven. Ik heb een sleutel.'

Joris en Goossens keken elkaar aan. Goossens pakte zijn telefoon en sprak even met de productieassistente. 'Oké, ga je gang. Een kwartier. Geen minuut langer,' zei Goossens. Jay had al op 'Begane Grond' gedrukt, dus toen Joris zijn been terugtrok begonnen de deuren te sluiten.

Ga je gang. Dat was inderdaad precies wat hij ging doen.

Op de achtste verdieping stapte een man in met een lange zwarte jas en een tas in de hand. Hij had grijs krullend haar dat bijna tot aan zijn schouders hing. Met kleine passen stapte hij de lift in op witte gymschoenen die scherp afstaken tegen zijn zwarte kleding. Hij knikte naar Jay zonder te glimlachen, toch straalde hij gemoedelijkheid uit.

'Ik wist niet dat er boven nog een verdieping was,' zei hij.

Jay keek even achter zich om te zien of deze man het wel tegen hem had. Meteen besefte hij dat dat absurd was. Hij was de enige andere hier.

'Nee, ja. Negende verdieping. Suites en appartementen voor rocksterren en politici.'

'Zit dat zo? En ben jij dan een rockster?'

'Ik? Nee. Nog niet in ieder geval. Maar ik werk eraan.'

'Aha, muzikant?'

Jay knikte.

'Wat speel je?'

'Keyboard.'

Ze gingen langs de tweede verdieping. Dit gesprek zou niet lang meer duren. Toch moest Jay nog iets vragen.

'En u?'

'Ook muziek.' De man knikte weer zonder te glimlachen.

'Ook keyboard?'

'Nee.' Hij hield een langwerpige zwarte tas omhoog. 'Ik speel de shakuhachi.'

Ze waren er. De deuren gingen open. Jay was van plan geweest meteen de kaart van Maas erin te steken, maar nu moest hij echt even naar buiten lopen met deze man. De productieassistente met haarknotje en clipboard stond inderdaad al op hem te wachten.

'Daar heb ik nog nooit van gehoord,' zei Jay.

'Het is een oude Japanse bamboefluit. Het werd vroeger door samoerais gespeeld als ze ophielden met vechten en behoefte hadden aan wijsheid en rust. Niet veel mensen kennen het.'

'Wauw, en gaat u nu spelen?'

'Ik geef morgen een concert. Nu ga ik even bij het water oefenen.'

De assistente stond met een zuur gezicht op hem te wachten en maakte met haar trommelende vingers en op en neer bewegende voet duidelijk dat ze dit allemaal tijdverspilling vond.

Jay was een heel andere mening toegedaan. Hij wilde niet dat die man wegliep. Hij wilde nog iets zeggen, maar er kwam zo snel niet iets dus flapte hij eruit: 'Bent u dan een samoerai?'

De man keek hem aan en knikte weer zonder te glimlachen. 'Misschien als ik speel. Wie zal het zeggen?'

'Ik snap het,' zei Jay.

De man knikte… Nee, hij knikte niet... Hij boog zijn hoofd en romp even voorover. Als een eresaluut. Als twee mensen die elkaar begrepen. En liep vervolgens weg.

De assistente keek Jay vernietigend aan. Jay keek onverschillig terug. Als twee mensen die elkaar compleet niet begrepen.

Het huis van Joop was een ouderwets arbeidershuisje achter de duinen. Rode bakstenen die in het maanlicht iets mysterieus kregen, ze leken eerst zwart, dan donkerpaars en als je heel dichtbij kwam zelfs oranje.

Het was natuurlijk normaal gesproken te laat om aan te bellen. Maar vandaag was niets normaal. Ger drukte op het witte knopje naast de voordeur. De zoemer klonk hem oud en vertrouwd in de oren. Zo een had zijn oma nog gehad.

Rachel stond onder de douche. Met de schuimende bodygel van Maas spoelde ze het stof van de ellenlange dag van zich af. Ze liet het warme water lekker hard op haar hoofd en rug neerkomen, zodat ze nergens aan kon denken en door de stoom niets meer kon zien. Alleen voelen kon ze. Hete, harde stralen die langzaam, stukje bij beetje, warmte tot in haar binnenste deden doordringen. Waardoor niet alles meer krampachtig vastgehouden hoefde te worden. Waardoor steeds meer mocht worden losgelaten.

Ze had zijn muziek gedraaid en een set kleren van hem uitgelegd. Nu wilde ze met zichzelf in het reine komen, om schoon uit de nacht te komen.

'Ik kom zelf wel boven,' zei Jay.

De assistente maakte aanstalten om bij hem in de lift te stappen. 'Denk je echt dat ik vanaf hier de weg niet vind?' Jay deed zijn best om het zo cynisch en irritant mogelijk te laten klinken. Ze was al weg. Zonder iets te zeggen.

Het voelde als een overwinning. Nog voor de deur sloot had hij al beide sleutels in zijn handen. Hij probeerde eerst die van Maas. Stopte hem in de gleuf.

En jawel...

Access Granted kwam op het scherm te staan, maar niet voordat er even 9001 geknipperd had. 9001! Op dezelfde verdieping...

Boven stond Joris op hem te wachten. Jay kon het niet laten om even naar rechts te kijken, waar de deur van 9001 zou moeten zijn. Maar meer dan dat zat er nu niet in.

'Je kleren voor morgen zijn er,' zei Joris terwijl ze naar hun voordeur liepen. Joris deed zijn kaart in de deur, er kwam een groen lichtje in de deurhendel en hij klikte open.

'Nieuwe kleren?'

'Kleed je maar even om en kom op het terras. Ze liggen op je bed.'

Even later ging Jay in een strakke zwarte broek en een felgroen gestreept overhemd van een Frans kledingmerk naar hun terras. Daar wachtten Goossens, Joris en zijn moeder op hem. Ze reageerden allemaal enthousiast op zijn nieuwe look. Joris liep naar de balustrade.

Het was een schitterende avond. De zee bruiste met een regelmaat alsof deze ademhaalde, de maan scheen onverminderd magisch op het nagenoeg verlaten strand neer. Af en toe brak er een iets grotere golf op het zand en het witte schuim dat daarbij opspatte leek eenzelfde licht als de maan af te geven. Bij dat licht dacht Jay een figuur in het zand te zien, zittend met rechte rug uitkijkend over de donkere zee. Het kon natuurlijk iedereen zijn, maar Jay had een sterk vermoeden dat die persoon zijn rug rechthield zoals een samoerai dat zou doen.

Er stond iemand achter hem.

'Nu een glas champagne op ons avontuur,' zei Goossens.

'Ik drink eigenlijk geen champagne,' zei Jay.

'Jongen, vanaf morgen is champagne niet meer weg te denken uit je leven, dus ik zou maar vast een voorproefje nemen. Hier, toost met ons.'

Jay nam het glas en voegde zich bij de anderen. In de spaarzame stiltes die daarna vielen probeerde hij te horen of er muziek vanaf het strand hun kant op waaide.

24

Jay lag in bed. Klaarwakker. Het was al geruime tijd stil, maar de slaap wilde maar niet komen. De volwassenen die eerst zo luidruchtig waren geweest op het terras waren al een tijdje naar bed. Het was echt heel erg stil. En om de een of andere reden werd hij alleen maar wakkerder van die stilte.

Was het de champagne? Nee, daar zou je toch juist van moeten slapen... Opgewonden over de dag van morgen... Ja, dat moest wel, toch gingen zijn gedachten steeds naar de rechte rug van die man op het strand. De rug van een samoerai... Nou én? Hij had op het terras champagne staan drinken als een filmster en toch... Verdomme, hij wilde slapen. Want anders zou hij er morgen misschien moe uitzien, als miljoenen naar hem en de glits gingen kijken.

Had hij de glits wel genoeg aandacht gegeven? Er waren continu sponsors of experts bij hem geweest. Dus eenzaam kon hij zich niet gevoeld hebben. Maar toch klopte er iets niet. Nou ja, Jay was zelf ook belaagd geweest door al die mensen, al die gesprekken...

Waarom kon hij niet slapen? Hij was nota bene al wakker sinds zaterdag. Er was zoveel gebeurd. Uit de cel ontsnapt en via weilanden, helikoptercrashes en opstootjes op een benzinestation waren ze nu eindelijk veilig. Wat heet... veilig met luxe. Ze hadden het toch waanzinnig voor elkaar? Waarom lag hij dan wakker?

Jay stond op. Hij ging bij de glits kijken. Omdat hij niet wist of hij iemand op de gang zou tegenkomen trok hij kleren aan. Zijn oude spijkerbroek en T-shirt waren zeker al in de was. Typisch zijn moeder. Jay kon er nog om glimlachen. Zelfs in een hotel bleef ze zijn moeder. En zoals gebruikelijk had ze de inhoud van de oude broek overgezet in de nieuwe. Daardoor voelde hij in zijn kontzak een kaartje. De sleutel. Twee sleutels.

Voor hij wist wat hij deed was hij in zijn nieuwe broek en zijn groene overhemd, maar op blote voeten, door de voordeur naar buiten geglipt en over het zachte rode tapijt naar de andere kant van de gang aan het sluipen.

Staand voor de deur van kamer 9001 vroeg hij zich pas af wat hij aan het doen was. Dat was een moeilijke vraag. Maar als je je hoofd een moeilijke vraag stelt en even de tijd neemt komt er altijd wel iets van een antwoord. Wat je hier doet?

Iets belachelijks.

Iets absurds.

Iets crimineels.

Iets dat nergens op slaat.

En toch wilde hij erin.

Als het niet Maas zijn kamer is zal de sleutel gewoon niet werken. Dan komt er een rood lampje. Simpel toch. En als er iemand komt dan had hij zich gewoon vergist in de kamer. Kon toch?

Jay stopte de sleutel een paar centimeter in de opening, kneep zijn ogen dicht en schoof hem er helemaal in. Waardoor hij natuurlijk niet kon zien of er een rood lampje of een groen lampje ging branden. Dat hoefde ook niet. De luide klik die hij hoorde vertelde hem genoeg.

Rachel werd wakker. Gedurende tien, twintig, dertig seconden voelde ze de paniek van het niet weten waar je bent. Geen enkel idee hebben, maar dan ook geen enkel.

Een verticale streep licht ontstond links van haar, deze werd langzaam dikker en toen het licht een kast met een toren van opera-cd's zichtbaar maakte, wist ze het weer. En haar paniek werd groter.

Ze was op het bed gaan liggen in de kamer van een dode. En niet zomaar een... Een die zij gedood had! Als zijn geest wraak wilde was dit zo'n beetje het perfecte moment daarvoor.

De lichtstreep werd weer dunner en verdween. Met een klik.

Twee dingen stelden haar een beetje gerust. Die klik was de klik van een deur die sloot. Geesten gebruiken geen deuren. Verder was de zwarte schaduw die ze net nog door de verticale streep naar binnen had zien glippen te zwart om een geest te zijn. Deze was solide. Ze was dus gerustgesteld voor de duur van twee seconden, want toen besefte ze dat het niet Ger was. Die zou niet zo binnen hoeven komen. Die zou zich nu ook niet schuilhouden naast de deur...

Elke cel in haar lichaam was nu volkomen wakker en volledig alert. Iemand was in deze kamer. Ze was blij met het geluid van de zee door de openstaande schuifdeur. Dan hoefde ze haar adem niet in te houden.

Zo stil en langzaam als maar kon liet ze haar rechterarm naast het bed zakken. Haar vingers raakten het tapijt. Zacht, stevig en verend. Niks mis met het tapijt van kamer 9001. Door onhoorbaar en hopelijk ook onzichtbaar haar gewicht steeds meer naar rechts te laten glijden begon ze zich naar de grond te laten zakken. Al snel had ze ook een sok op de grond en was ze van het bed af. Uit beeld.

Ze tastte om haar heen. Waar stonden haar schoenen? Zonder haar Dr. Martens voelde ze zich ongewapend.

Ger zat op het stoepje bij de voordeur. Hij wist gewoon even niet meer wat hij moest doen. Joop was niet thuis. Toch brandde er wel licht in de huiskamer. Dan zou hij toch nog wel thuiskomen?

Al drie keer had Klein hem gebeld. Ger had niet opgenomen. Met zijn telefoon op de grond tussen zijn voeten had hij geteld hoeveel seconden er zaten tussen het moment dat het bellen ophield en het moment dat het sms'je binnenkwam dat er een bericht in zijn voicemailbox zat. Zo lang zou het bericht zijn dus. Het eerste bericht twaalf seconden, het tweede tweeënveertig en het laatste vijf. Even overwoog hij te luisteren. Maar op de een of andere manier paste dat niet bij deze avond. De verse duin- en zeelucht, de maan die langzaam, zo langzaam steeds een andere plek koos tussen de sterren. Hij belde zijn voicemail en nog vóór hij het eerste woord gehoord had drukte hij op 2. Het bericht is gewist, zei een vrouwenstem. Die stem kende hij goed. Hij drukte nog twee keer op 2 en hoorde haar stem nog twee keer. Het ontroerde hem. Ze stond aan zijn kant.

Voor een absurd moment voelde hij tranen prikken achter zijn ogen omdat deze vrouwenstem aan zijn kant stond. Misschien moest hij wat vaker vrouwenstemmen horen. Dit ging nergens over. Hij zette zijn telefoon uit, zodat hij niet te traceren zou zijn. Op dat moment werd hij aangevallen.

Een vleesetend monster van bijna twintig kilo knalde hem omver. Ger had met bijna vochtige ogen naar zijn telefoon zitten kijken en was de wereld compleet vergeten. Hij viel achterover tegen de deur en trok in een reflex zijn dienstwapen en richtte het op het hoofd van het monster.

Dat bleek een witgevlekte Engelse buldog te zijn met een slechte adem. Dat laatste merkte Ger toen het beest hem in zijn gezicht probeerde te likken. Het was bijna reden genoeg om te schieten.

'Hij doet geen vlieg kwaad,' zei Joop die met de riem in de hand bij het tuinhekje stond.

Ger krabbelde tegen de voordeur aan omhoog. 'Nou, je zou zeggen dat elke vlieg die aan de voorkant voorbijvliegt dood neervalt. Jezus, geef je hem geen tic tacs?'

'Alles went,' zei Joop.

'Alles?'

'Alles.'

Ze keken elkaar aan. Een stilte waar spanning in zat. En die pas verbroken werd doordat de hond blafte.

'Kom je doen?' vroeg Joop.

Ger keek om zich heen. 'Het is jaren geleden dat ik 's nachts over het strand gelopen heb. Ik dacht dat we misschien...'

'Wij zijn net geweest.' Joop keek even omhoog alsof hij aan de stand van de maan kon zien hoe laat het was. 'Maar Muf kan zo weer. Eerst een bakkie water.' Hij kwam de voortuin in.

Ger stapte weg bij de voordeur. 'Ach, water is goed natuurlijk. Al hoopte ik dat je misschien een blikje bier voor een oude maat zou hebben.'

Joop haalde zijn sleutels tevoorschijn. 'Het bakkie water is voor de hond, Ger.'

Svensson reed en gromde af en toe als antwoord naar Klein. Hij keek hem daarbij niet aan. Normaal sprak Klein nauwelijks en zo hoorde het ook, vond Svensson. Maar nu oreerde de man over het ene onderwerp na het andere en Svensson wist niet waaraan hij het verdiend had dit allemaal aan te moeten horen. Onderwerpen die al langs waren geweest:

De rampzalige pr voor hun afdeling als het wezen op tv zou komen.

De eer van de afdeling.

De dood van Maas.

De plek van tieners op deze aarde.

Het gebrek aan respect voor de werkelijke hoeders van de natie.

Dat zacht worden het eerste teken van verval was.

Dat hij Ger nooit vertrouwd had.

Svensson stopte bij een stoplicht en maakte gebruik van een kleine pauze in de tirade van Klein. 'Waarnaartoe, *boss*?'

De kleine pauze werd een langere. 'Naar Scheveningen,' zei Klein ten slotte. 'Dan beginnen we bij dat appartement van Maas.'

Jay stond stokstijf tegen de muur vlak naast de deur. Waar was hij mee bezig? Nu stond hij midden in de nacht in een vreemde kamer. Misschien wel de kamer van een vreemde.

Even leek hij iets te horen. Geruis... Maar nee, het geruis kwam van buiten. Toch wachtte hij. Hij wilde pas bewegen als hij heel zeker wist dat er niemand binnen was. Nu hij zo roekeloos was geweest om door de deur naar binnen te stappen, ging hij pas verder als hij zeker wist dat hij veilig was. Als dat überhaupt mogelijk was in het leven. Zeker weten dat je veilig bent.

Seconden werden minuten. De zwarte duisternis werd er steeds meer een met grijze tinten en de kant van de kamer waar een kast stond werd langzaamaan zelfs lichtgrijs door het licht van buiten.

Dit was een kleiner appartement. Geen suite. Er stond een bed tegen de onverlichte muur. Nog helemaal opgemaakt. Hier lag dus in ieder geval niemand te slapen.

Al was het zelfs in het halfduister te zien dat het overtrek niet helemaal strak stond. De kleinere kamers kregen minder goede beddenopmakers blijkbaar.

In het halletje hing een lange overjas. Lang genoeg om van Maas te kunnen zijn.

Met de langzaamste pas ooit door een tiener uitgevoerd begon hij van de muur weg te bewegen. Dertig seconden deed hij erover om zijn voet neer te zetten en weer dertig om zijn volgende op te tillen. Dat hij toch opschoot was ongelooflijk. Hij kwam bij het bed... begon eromheen te lopen. Tot hij een hartverzakking kreeg.

Daar lag iemand.

Uitgespreid op de grond.

Het was Maas.

Als hij niet zo totaal verlamd was van schrik zou hij gegild hebben, maar alles in hem kwam tot een complete stilstand. Hij ademde niet, zijn hart klopte niet, zijn nagels en haar stopten met groeien.

Maas lag languit in ribbroek en colbert. Zijn voeten wezen naar weerszijden als bij een clown en zijn armen waren in de ultieme relaxhouding naar achter gevouwen met zijn handen achter zijn hoofdkussen.

Jays hart ging weer kloppen. Alsof het iets goed te maken had ging het tekeer als een kalasjnikov waar de trekker van werd ingehouden. Luid en wild sprong het heen en weer, en net als dat Russische machinegeweer leek het meer uit te zijn op algehele destructie dan op het in leven houden van iemand.

Maar het hoofdkussen was leeg. De kalasjnikov liep vast.

Er was geen hoofd.

Nu zag Jay dat de ribbroek leeg was. Hij lag plat op de grond.

Het colbert was ongevuld, alleen de armen waren naar achteren gevouwen.

Die houding. Dat zou Maas nooit doen. Zelfs niet als...

De schoenen lagen los. Zijn kalasjnikov sputterde weer. Iemand had hier met de kleren van Maas gespeeld. Een spook neergelegd.

Zijn hart had zoveel adrenaline zijn systeem ingepompt dat hij nu wel in actie moest komen.

Jay stapte naar voren en schopte eerst tegen de ene en toen tegen de andere schoen. Blote voeten tegen de peperdure, leren brogues. Het was geen partij. Zijn voeten waren woedend. De broek van Maas was niet eens een schop waardig. Jay ging erbovenop staan om eerst dat colbert een hengst te geven en dan het pièce de résistance, het hoofdkussen, dat als de kop van een dode man hem de schrik van zijn leven had bezorgd.

Bijna meteen werd die schrik naar de tweede plaats verdrongen. Want toen hij het lege colbert wilde raken, kreeg hij een schok die alle voorgaande overtrof. Hij raakte een lichaam.

Een lichaam!

Toch!

***

Joop had een sixpack Bavaria meegenomen en de twee voormalige collega's zaten tegen een strandpaal aan naar de zwarte massa die de zee was te kijken. Muf sliep tegen Joops been aan. Ze gromde af en toe in haar slaap. De mannen zeiden weinig. Dat hoefde ook niet.

***

Dat het geen dood lichaam was werd Jay eigenlijk vrij snel duidelijk. Het lichaam schopte terug tegen de zijkant van zijn knie waardoor hij half over het bed viel. Onmiddellijk werd hij bedolven onder een barrage van slagen, krabben, knietjes en vooral schoppen.

Zijn kalasjnikovhart was door die tweede en overtreffende schrik van zijn leven helemaal opgeladen en hij sloeg meteen van zich af. Op een gegeven ogenblik sloeg hij zijn handen ineen en maakte van beide armen een soort samoeraizwaard en zwaaide dat uit alle macht tegen zijn belager. Het zorgde ervoor dat het lichaam, dat zo overduidelijk leefde, van het bed viel. Jay had even ruimte om te ademen. Het bleek echter niet tot een verbetering te leiden aangezien het lichaam op de grond een wapen had gevonden en daarmee begon te slaan alsof er iemand dood moest, en snel.

Toen Rachel door de armzwaai van haar belager op de grond viel flitste de mogelijkheid van gillend de gang op rennen door haar hoofd. Bij haar buiteling over het zachte, verende tapijt rolde ze echter tegen iets aan dat ze maar al te goed kende. De stalen neus van een van haar Dr. Martens. De andere lag ernaast. Zelfs als ze die nu met de hand moest gebruiken was ze weer volledig bereid voor de aanval te kiezen in plaats van te vluchten.

De eerste paar schoenslagen wist Jay nog af te weren maar toen bleek dat zijn vijand beide handen bewapend had werd het te veel.

Een linkerschoen die weliswaar aan de rechterhand gedragen werd knalde met de punt naar voren tegen zijn voorhoofd. Hij kon de schoen grijpen, maar pas nadat deze de schade al had toegebracht, en hij viel achterover op het bed.

Zijn hoofd zong als een oud-Chinese gong waarop door een gespierde man met een paardenstaart werd gehamerd. Daardoor was het moeilijk zich ergens op te concentreren, maar Jay had nog iets gehoord, een geluid dat hij kende. Vlak voor de gong was er het geluid van een stalen neus die bot ontmoette met een dun laagje huid ertussen. Dat was een geluid dat hij vaker gehoord had.

Dit was niet de brogue van Maas. Dit was...

'Rachel?'

Rachel was bezig de tweede slag naar het hoofd van haar belager uit te voeren. Ze was niet van plan om te stoppen alleen maar omdat hij haar naam noemde.

Maar hoe hij het zei...

Die twijfeling.

Alsof hij haar hier niet verwacht had. Alsof hij helemaal niet naar haar op zoek was om haar te molesteren of wat dan ook. En er was meer...

Er klonk hoop in.

Alsof haar tegenkomen meer was dan hij normaal gesproken had mogen verwachten. Dat hij niet zeker wist of hij het mocht geloven...

En dat terwijl ze hem net een best behoorlijke klap op zijn kop verkocht had.

Dat was genoeg om haar hand met de schoen tegen te houden voordat deze neerkwam.

'Rachel?'

Jay lag achterover op het bed en het silhouet dat boven hem uittorende leek niet echt op Rachel. Deze figuur had haren die echt alle kanten op staken. Maar toch, nu de gespierde Chinees iets anders was gaan doen, zag hij duidelijker waarmee hij geraakt was en het leek verdacht veel op een met *spraypaint* lichtblauw gespoten Dr. Martens-laars. Hoeveel konden er daarvan bestaan?

In ieder geval twee. En de andere was op weg naar zijn hoofd. Nee, die bleef nu halverwege steken.

Geen Chinees dit keer.

'Jay?'

Vol ongeloof liet Rachel haar hand met de schoen zakken. Ze reikte naar het lichtknopje naast het bed en ineens was de wereld anders. Ze knipperden allebei met hun ogen.

'Jezus, wat heb jij aan?'

Ze keek omlaag om te zien wat voor broek hij bij deze draak van een overhemd droeg en werd zich ervan bewust dat ze schrijlings boven op hem zat.

'Wat doe jij hier?' riep ze.

'Ik? Wat doe jij hier?'

'En wat zie je eruit!'

Even dacht Jay dat ze het over de bult op zijn voorhoofd had die hij kon voelen opzwellen. Wat een gotspe om daarover te beginnen aangezien zij degene was die...

'Je droeg toch geen merken?' Ze begon van hem af te gaan.

'Jij ziet er ook anders uit,' zei Jay snel, hopende dat ze dan nog even zou blijven zitten. 'Je haar zo los.'

Ze keek om zich heen waarbij haar haar heen en weer zwaaide. Toen ze haar blauwe haarband op een tafeltje zag liggen, stapte ze van Jay en het bed af.

'Wist ik veel dat ik nachtelijk bezoek zou krijgen.' Ze begon haar haar te fatsoeneren met de blauwe band. 'Hoe wist je dat ik hier was?'

'Hoe wist ik...? Ik wist niks. Maar hoe wist jij dat ik kwam?'

'Dat wist ik niet. Dat zeg ik net.'

'Maar je had een vogelverschrikker voor me neergelegd.' Jay zwaaide zijn benen van het bed zodat hij kon zitten.

'Een wat?'

'Die kleren. Het was net of ik Maas zag. Ik schrok me bijna dood.'

'O, dat...'

'Ja?'

'Ik had gewoon zijn kleren neergelegd. Als een soort eerbetoon of zo.'

'Ik schrok me kapot.'

'Terecht. Je sluipt toch ook niet zomaar een kamer in.'

'Wist ik veel dat jij...'

'Hoe kom je eigenlijk hier in het hotel dan?'

Ze hadden twintig minuten nodig om aan elkaar te vertellen wat er allemaal gebeurd was.

'Dus hij is hier?'

'Ja.' Jay wees naar de kant waar de suite was. 'Op deze verdieping.'

'Wat vond hij van het strand?'

'Hoezo?'

'Nou, je hebt hem toch wel mee naar het strand genomen, zand voelen en zo.'

'Nee, dat mocht niet.'

'Mocht niet? Wie was er nou vrij? Van wie niet?'

'Ja, van Goossens, die baas van Joris. Ze pakken het groots aan, weet je. Er komen professoren, politici, topmensen van bedrijven. Allemaal om hem te zien en hem antwoorden te geven. De kroonprins komt misschien zelfs. Het moet bijzonder blijven voor tv. Dus mochten normale mensen hem niet zien. En ik moet vertalen voor ze. Miljoenen mensen gaan kijken, niet honderden, niet duizenden, maar miljoenen.'

'Ja, ja. Maar hoe is het met hem?'

'Goed natuurlijk. Met hem gaat het toch altijd goed.'

'Ik wil hem zien.'

Jays eerste gedachte was dat dat niet kon, hoe blij hij ook was om Rachel te zien. Misschien was het beter om de glits even voor zichzelf te houden, anders konden dingen weleens... veranderen.

'Jay!'

'Ja?'

'Je staart voor je uit en je zegt niks.'

'O.'

'Ik wil hem zien.' Ze begon haar Dr. Martens aan te trekken.

'Wacht hier,' zei Jay. Met enkele snelle passen was hij bij de deur. Ongeveer duizendmaal sneller dan hij op de heenweg gelopen had. 'Ik ga hem halen.'

Rachel liep heen en weer in de kamer van Maas. Ze zette de deur naar het terras wijd open. Ze raapte de kleren van Maas op, maar borg ze niet op. Hij moest wel bij ze blijven.

Ze pakte een stoel en zette de mooie schoenen eronder, vervolgens stopte ze wat andere broeken uit de kast in de pijpen van de ribbroek, een kussen van het bed vulde het colbert. Daar balanceerde ze het ronde hoofdkussen op. Het zag er natuurlijk niet uit, maar toch. Kleren maken de man. Zo was Maas toch nog bij hen. Dit was zijn nacht. Op het tafeltje naast het bed lag een dun boekje met onbegrijpelijke tekens erin. Ze legde het op de schoot van de pop zodat hij wat te lezen had voordat er iemand zou komen.

De deur ging open en heel even vreesde ze dat het Ger zou zijn die toch eerder terugkwam, maar nee, de glits liep hand in hand naast Jay de kamer in.

'Wat heb je met hem gedaan?'

'Hoezo?'

'Wat ziet hij eruit!'

'Hij is wat kleiner, maar dat heeft-ie wel vaker, hij...'

'Dat bedoel ik niet. Zie je niet hoe troebel hij is? Heb je hem wel eten gegeven?'

'Hij heeft meer potloden dan hij in een mensenleven, nou ja, in zijn leven kan opsabbelen.'

Rachel zat op haar hurken voor het wezen dat voor hun ogen ietsjes groter leek te worden.

'Je hebt niet voor hem gezorgd!' vuurde ze naar Jay met tranen in haar ogen.

'Wat lul je nou? Wie heeft zijn leven gered? Het is gewoon midden in de nacht.'

De glits reikte met twee armen naar Rachel.

Jay keek weg. Hij zag dat er nu een vogelverschrikkerversie van Maas in een stoel zat met een boek op schoot en kon maar net voorkomen dat hij daar iets hatelijks over zei.

'We gaan naar het strand,' zei Rachel en ze nam de glits op in haar armen.

'Maar Goossens zei...'

'We doen het. Daarbij is het midden in de nacht. Wie ziet dat nou?'

25

Via de parkeergarage liepen ze naar de boulevard.

De draaimolen met al haar geschilderde paarden en eenhoorns stond in de duisternis als een sprookje dat maar niet verteld werd. Rachel bukte onder de ketting door die de draaimolen afsloot en zette de glits op een circuspaard.

De glits kon zijn ogen, als hij daar al mee keek, niet van Rachel afhouden.

'Je behandelt hem als een kleuter, dat is hij niet,' zei Jay.

'Nee, jij weet hoe je hem moet behandelen. Hem met belangrijke mensen laten praten. Hoe haal je het in je hoofd? Zie je niet wat dat met hem doet? Hij... hij heeft simpele dingen nodig.' Rachel duwde tegen het paard.

'Nou, op een draaimolen staan en tegen een paard duwen is in ieder geval simpel.'

Jay liep weg van de draaimolen. Zijn vermoeidheid begon hem parten te spelen. Geërgerd keek hij om zich heen. Een lege boulevard in het maanlicht. Gemaakt voor duizenden mensen en nu was het leeg. Hoewel... in de verte fietste iemand enigszins zwalkend hun kant op. 'Kom, laten we maar naar het strand gaan.'

Hij was te laat. Rachel was al met de glits de trap af.

Jay volgde op zijn blote voeten.

Op het zand kwamen zijn blote voeten tot hun recht. Er is eigenlijk geen lekkerder gevoel dan de onderkant van je voet tegen miljoenen zandkorrels. Miljoenen! Hij hoorde de stem van de tvproducer weer. Geen honderden, geen duizenden...

Zoveel zandkorrels waren er en sterren aan de hemel en waterdruppels in de zee, maar zodra het kijkende mensen werden, was het iets heel anders. Dan werd het iets gretigs, iets als dikke repen chocola in de koelkast waar je van af moet blijven maar waar je toch, ondanks alles, je tanden in zet.

Jay liep achter Rachel en de glits aan langs de stapels strandstoelen die 's nachts geen functie hadden. Op zo'n twintig meter van het water draaide de glits naar hem om. 'Niet nog.'

Jay voelde een steek van voldoening. Het wilde niet verder, niet het water in zonder hem. Hij, de man, moest erbij zijn, anders voelde het zich niet veilig. Zo'n circuspaard van klei, daar mocht Rachel hem wel op zetten, maar als het ging om iets imposants als de zee bij nacht, nee, dan moest Jay erbij zijn.

Rachel ging zitten. Jay zag het witte schuim van een brekende golf door de glits heen. Hij was dus alweer transparanter geworden. Het strand was goed voor hem.

Jay ging ook zitten. Naast Rachel, met de glits tussen hen in.

Hij zou straks de glits mee de zee in nemen. Eerst wilde hij genieten van het gevoel dat iemand hem nodig had. Dat hij hier hoorde. Dat hij op zijn plek was. Dat hij zo op zijn plek was dat het was alsof hij in zijn gang stond. Nee, het was niet alsof... Hij was echt in zijn gang. Hij herkende dat gevoel. Zijn gang was meer een gevoel geworden dan een plek.

Zo zaten ze. Billen in het zand, handen speelden met de zandkorrels, aaiden de wereld.

Rachel trok haar moordwapens uit en ze zogen de stilte op die geen stilte was. De zee was een levend iets, dat ademde, siste en sputterde. Dan weer ontstemd, dan weer lieflijk en uitnodigend.

Van links met de wind mee kwam een geluid alsof iemand op een lege fles blies, maar dan duizendmaal mooier. Het was lucht op hout, of riet misschien of, natuurlijk, bamboe... Jay keek, maar zag niemand.

Daar ergens zat iemand met een rechte rug en samoerailippen de lucht in trilling te brengen.

Nooit eerder had hij een moment willen bevriezen en eeuwig laten duren. Nou, misschien het moment dat Rachel boven op hem zat dan. Maar nu, dit moment, mocht voor hem altijd doorgaan.

'Het gaat beter met hem, voel je dat?' zei Rachel.

Jay knikte en het duurde even voor hij bedacht dat ze dat niet kon zien. 'Ja, je ziet het ook. Je kijkt dwars door hem heen. Zelfs in het donker.'

'Klopt.'

'Hé Rachel... Stel nou dat je wist, gewoon al wist dat dit het gelukkigste moment van je leven was. Ik zeg niet dat dat zo is, maar stel... Wat zou je dan doen?'

'Hoe bedoel je?'

'Nou, stel dat je dat wist. Zou je dan iets bijzonders doen om het nooit te vergeten?'

'Wat bedoel je, een handstand?'

Jay lachte. 'Zoiets, of zand in een potje meenemen, een lied maken, in je nakie gaan zwemmen...'

'Je bent gestoord, weet je dat?'

'Dat vind ik zo lekker aan jou. Ik kan je alles vertellen zonder dat je het veroordeelt.'

Daar moesten ze om lachen. Rachel liet zich achterovervallen en Jay deed hetzelfde.

Rachel gaf Jay een duw. 'Een malloot ben je.'

'Mongool,' duwde Jay terug. Hij kreeg een handvol zand in zijn ogen gegooid.

'Wat jij.'

Hij graaide naar haar en pas bij de tweede graai had hij haar te pakken en worstelde haar met de schouders op de grond.

Het zand prikte, hij kon nog steeds niet goed zien, dus wist hij niet precies hóé het begon... wie de eerste beweging maakte, maar toen het begon, wist hij maar al te goed dát het begonnen was. En het was honderdmaal anders dan met een Spaanse kapster in een steeg, duizendmaal beter dan met jezelf in de spiegel. Ook al zaten er overal zandkorrels, dat stoorde niet. Hij voelde vooral haar. Zij die haar lippen tegen de zijne drukte. Hij voelde haar tong die duwde tegen de zijne, die rondjes draaide, die meegaf en dan weer niet. Het was zacht en teder, het was hard en wild, maar vooral, was het nodig. Het was zo ontzettend nodig.

Nu lag hij met zijn achterhoofd in het zand. Omhoogkijkend, niet naar de sterren, maar naar de zwarte stukjes tussen de sterren. Die waren nu van hem. Die claimde hij voor dit moment. Laat iedereen maar naar de sterren kijken, hij keek ertussenin en elke keer dat hij dat zou doen zou hij aan dit moment terugdenken. Of niet dit moment, het moment hiervoor. Nou ja, al deze momenten.

En vlak voor het gebeurde was hij net klaar geweest om een moment te bevriezen voor altijd. Dit zou hij dan dus gemist hebben... Wauw. En toch, nu was hij alweer klaar om nu te bevriezen. Deze nu... En wat zou hij dan missen? Grappig.

Hoe dan ook, hij ging helemaal niets missen. Helemaal niets.

'Hij gloeit, kijk,' zei Rachel.

Jay steunde op een elleboog. De glits leek licht in zich te sparen. Elke invallende maanstraal, of sterrentwinkeling of lichtspat van een fluorescerende golf ging naar binnen en kwam er niet meer uit. Daardoor onstond er een draaikolk van oplichtende stroompjes in zijn binnenkant. Een wirwar van fonkelende bundels. Het was prachtig. Je zou er bijna de gloeilamp door uitvinden.

‘Het zijn rare tijden,’ zei Joop. Ze liepen langs de waterlijn in een tempo dat door Muf gedicteerd werd. ‘Oneervol ontslag. En het voelt alsof het het mooiste is wat mij ooit is overkomen.’

‘Gozer, jij moet je hoofd laten onderzoeken.’ Ger had zijn handen diep in zijn zakken gestoken.

‘Ik weet het. Ik weet het. Misschien komt de klap nog. Maar tot dan geniet ik er maar gewoon van. En jij?’

‘Met mij? Waarom zou er iets met mij zijn?’

‘Je loopt hier midden in de nacht. Ik slaap morgen wel uit. Jij moet vroeg op, neem ik aan.’

‘Ik moet dat meissie ophalen verderop, bij het Kurhaus.’

‘Dan hoef je niet ver, want daar zijn we al bijna.’

Klein en Svensson zetten hun auto voor de ingang van het hotel. Allerlei vage figuren met protestborden zaten op de grond naast en voor de ingang.

‘Wat had die Maas een rare smaak,’ zei Klein terwijl ze richting draaideur liepen.

Toen hij het woord ‘glits’ op een van de borden zag, moest hij het toch even aan een van hen vragen.

‘Ze zeggen dat de glits hier morgen gepresenteerd wordt. Wij willen kaartjes.’

Klein keek Svensson aan, die terugkeek zoals hij altijd keek. ‘Wat is hier aan de hand? Zit Maas hier achter?’ Ze gingen de deur door. Klein liep op de receptie af.

‘Je weet zeker dat je Maas naar het mortuarium gebracht hebt?’ vroeg Klein terwijl ze liepen. Svensson knikte. Zijn baas stelde rare vragen de laatste tijd.

‘En toch kan ik niet geloven dat je dan dit shirt uitkiest.’

Jay ondersteunde zijn hoofd met zijn hand zodat hij haar gezicht kon zien. Rachel was bezig met een misprijzende blik zijn overhemd te onderzoeken.

'Joh, dat zijn televisiemensen, die weten echt wel wat ze doen.'

'Je hebt het dus niet zelf uitgekozen?'

'Eh, nee, eigenlijk niet.'

'Nou ja, meneer ruggengraat.'

Jay keek weg. Naar de zee, naar de glits. 'Hij was bang zonder mij, hè?'

'Bang met jou, zul je bedoelen.'

Jay ging rechtop zitten en begon zijn veelbesproken shirt uit te trekken.

'O, meneer gaat ervan uit dat het zonder shirt een verbetering is...'

Jay lachte. 'Ik neem hem mee zwemmen.'

Rachel kwam ook overeind. 'Je weet niet of hij wel kan zwemmen.'

'Hij kwam toch uit zee, weet je nog?'

'Uit de ruimte, de zee, het bos. Dat is nogal breed.'

'Oké, ik ga niet diep. Pootjebaden.' Jay stroopte zijn broekspijpen op.

'De zee is best eng, zo donker.'

'Daarom ga ik met hem.' Jay stond op. 'Kom.' De glits stapte met Jay naar de waterlijn, maar bleef voor het natte zand stilstaan. 'Niet nog.'

'Ik snap het, het is donker. Maar overdag kan niet, dus het moet nu...' Jay pakte hem op. Hij merkte dat het wezen zijn armen naar Rachel uitstrekte en draaide zo dat zij het niet zag.

'Je moet er even doorheen. Dan is het heerlijk.' Jay liep met grote passen naar het water.

'Jay!' Er was iets in haar stem dat ijskoud over zijn ruggengraat liep. Hij stapte in het water. Het was toch een beetje fris. Of kwam dat door haar?

'Hij wil niet.'

'Niemand wil het water in tot je het hebt meegemaakt, dat zei mijn vader ook tegen mij toen...'

Rachel rende op hem af. Jay zette de glits voorzichtig, maar ook stevig neer. 'Het is eerst even koud, maar dan...'

Plons. Plons. Gris. Plons. Plons.

Rachel had de glits zo onder zijn handen vandaan weggegrist en naar het droge gebracht.

'Joh, hij moet er even door, anders is het niet lekker.'

'Voel je niet wat hij voelt?'

'Natuurlijk wel. Maar daar moet hij even doorheen. Geef nou.'

'Nee.' Rachel klemde de glits tegen haar borst.

'Oké.' Jay liep het water uit. Hij pakte zijn shirt op en klopte het zand eruit. Hij had net iets venijnigs bedacht om te zeggen en draaide naar haar toe toen hij zag dat er iets niet klopte.

Rachel was de glits op het droge zand aan het neerzetten. Jay had nog stop kunnen roepen, maar wie gelooft zijn ogen nou op zo'n donkere, zilververlichte nacht?

Vooral bij de glits die soms sowieso doorzichtig was en waarvan delen soms bijna onzichtbaar leken. Daarom stopte hij haar niet toen hij dacht te zien dat de onderkant van de benen van de glits helemaal verdwenen waren.

Pas toen het wezen omviel en twee stompjes de lucht in staken met aan de onderkant plakkend zand, was Jay in staat om toe te geven dat hij het goed gezien had.

Dat was ook ongeveer toen het gillen begon.

Sommige mensen hebben de reflex om weg te rennen als er gegild wordt. Getrainde politiemannen als Ger en Joop hadden die niet. Onmiddellijk kwamen ze in actie en verspreidden zich, zodat ze ieder vanuit een andere hoek de onheilsplek konden benaderen.

Arme Muf moest flink bijbenen om in het spoor van Joop te blijven en al snel rekende ze er maar op dat ze met haar neus de grote man wel weer zou vinden en liet ze hem in het duister verdwijnen.

Geen verkrachting, besloot Ger vrij snel, toen hij zag hoe een meisje gilde terwijl een jongen over iets of iemand heen gebogen stond. Een verdrinking?

Automatisch checkte hij zijn tic tacs voor het geval er mond-op-mondbeademing vereist was. Zo was hij er ooit mee begonnen. In de eerste weken van zijn carrière hadden ze een man uit de Rotterdamse haven gehaald. Een vijftigjarige zwerver. Gers collega's riepen allemaal dat hij onmiddellijk mond-op-mond moest doen. Ja, wist hij veel dat die man er al twee dagen in lag en zijn collega's hem nog even hadden laten liggen tot Ger in de buurt was. Geintje voor het groentje. Ger had er een slechte smaak in zijn mond aan overgehouden. Daar kon je een hoop tic tacs tegen slikken.

Joop was er het eerst. Meestal kwam hij als tweede om Ger rugdekking te geven. Maar dit keer was Ger wat traag.

Een bekende tegenkomen op een onverwachte plek geeft meestal vreugde. Een kleine stoot adrenaline, een lach, je spreekt wat over toeval en hoe groot de wereld nou echt is en dan gaat ieder weer zijns weegs, nog verwonderd dat zoiets kan gebeuren. Op momenten van crisis is dat anders. Eenieders systeem zit al helemaal vol met adrenaline, de geest heeft slechts ruimte om zich op één ding te focussen en voor grappen, lachen en verwondering is natuurlijk helemaal geen plek.

'Wat is er gebeurd?' waren dan ook Joops eerste woorden. En noch Jay, noch Rachel verbaasden zich erover dat uit de duisternis precies deze man verscheen die ze allebei kenden. Alleen het wezen zelf straalde blije herkenning uit, maar Joop was te druk bezig met het doorgronden van de situatie om zich daar bewust van te zijn.

Automatisch gaf Jay antwoord. 'Hij is zijn benen kwijt.'

Joop nam de glits in zijn berenarmen. 'Wat hebben jullie met hem gedaan?' vroeg hij ontzet.

Rachel had even geen andere wapens dan haar vuisten en daarmee roffelde ze op Jays rug. 'Hij... hij... luisterde niet.' Maar er zat niet de gebruikelijke pit in. Dit was te erg.

'Omgeving veilig,' zei Ger en hij voegde zich bij hen. 'Jullie?' Ger was de enige die op dit moment de verrassing van het treffen toeliet. Om vervolgens meteen weer zakelijk te worden. 'Wat is de situatie?'

'Ze hebben zijn benen eraf gehakt.' Joop was de schok nog niet te boven. 'Waar zijn zijn voeten?' Hij keek om zich heen, bang dat Muf er meteen haar tanden in zou zetten.

'In zee, hij kan niet tegen water... ik ging pootjebaden.'

'Onzin, ik heb hem zo vaak gewassen,' zei Joop.

'Hij luisterde niet,' jammerde Rachel, 'naar het gevoel.'

De glits verwelkomde Ger met een gloed van welzijn. Als enige die niet overstuur was merkte Ger dat. 'Zelf vindt hij het niet zo heel erg, geloof ik.'

Ze keken allemaal naar de glits die een gelig tevreden licht uitstraalde tussen de bicepsen van Joop.

'Hij heeft geen pijn en hij bloedt ook niet,' zei Ger.

'Ik kon het niet weten,' zei Jay.

'Wel. Het is jouw schuld. Jij wilde niet luisteren. Jij was te druk bezig met hoe belangrijk je was.'

Jay draaide op zijn hielen als een Pruisische militair. 'Wat weet jij daar nou van? Je kunt niet altijd luisteren naar gevoel. Soms moet je daardoorheen. Dus hou je kop nou gewoon even.'

Rachel draaide zich om en was met drie passen bij haar Dr. Martens. Jay zette zich schrap voor wat hij wist dat nu zou komen. Hij vergiste zich.

Met haar laarzen in haar hand ging Rachel voor hem staan.

'Weet je wat het ergste is? Je weet beter. Dat is zo afschuwelijk. Je kent hem en nog doe je zo. Je liegt tegen jezelf.'

'Ik lieg tegen mezelf? Jij bent lekker. Als ik lieg, wat doe jij dan?'

'Je lult. Ik ben eerlijk. Jij...'

'Eerlijk? Jij bent zo bang van de wereld dat je alleen maar van je af bijt. Daarom zie je niet eens wat er echt is om je heen. Wie liegt hier dan? Jij liegt al door hoe je kijkt. Jij liegt al voor je begonnen bent. Je liegt niet alleen, je bent gewoon zelf een leugen.'

'Ik zou je hersens moeten inslaan...' Hierbij tilde ze haar laarzen iets op. 'Maar dan ben ik bang dat ik af en toe nog aan je zou denken. Je bestond al nauwelijks. Nu besta je niet meer. En kom nooit, maar dan ook nooit meer in mijn buurt.'

Ze stapte naar Joop. 'Ik weet dat hij veilig is bij jou, Joop.' Ze kuste de glits en liep met haar hoofd fier omhoog de nacht in.

'Je bent gewoon jaloers dat jij niet in de krant staat en op tv komt. Wie is hier gestoord?' riep Jay haar na.

Met een knikje gaf Joop aan dat Ger maar beter achter Rachel aan kon gaan. 'Je hebt gelijk en ongelijk,' zei Joop tegen Jay. 'Soms moet je inderdaad weleens tegen je gevoel in gaan. Maar dan moet je natuurlijk wel altijd naar je gevoel geluisterd hebben.'

Jay hoorde elk woord, maar verstond er niet een van. Hij keek naar het stukje nacht waar Rachel in verdwenen was.

Draaide ze maar om...

Al was het om hem te slaan. Liever dat, dan...

Daar bewoog iets. Ze kwam terug! Nee, het was een hond die aan kwam waggelen. Alsof Rachel in een dier was veranderd. Het was een soort sprookje in zijn achteruit. Je kust het meisje en ze verandert in een buldog.

26

Joop en Jay liepen in de richting van de boulevard. Joop droeg de glits nog altijd.

'Waarom waren jullie hier?' vroeg Joop.

Jay hief zijn armen even omhoog en liet ze weer vallen.

'Waarom ben je naar het strand gegaan? Geef antwoord.'

Jay stopte met één voet op de trap en een nog op het zand. 'Omdat het slecht ging met hem. Hij zag er niet uit en voelde heel leeg aan.'

Joop stond al wat treden hoger. Hij draaide zich om en keek naar de glits in zijn armen. 'Weet je, ondanks die benen heb ik hem nog nooit zo goed gezien. Je voelt dat hij happy is. Zelfs na al dat geschreeuw daarnet.'

'Ja. Hij geeft bijna licht. Je had hem hiervoor moeten zien, hij was helemaal Mister Gloeilamp.'

'Wat gebeurde er toen?'

'Laat maar. Wil ik het niet over hebben.'

'Oké.'

Ze bleven even stil.

'Weet je,' zei Joop ten slotte, 'Ger vertelde dat Klein haar verhoord heeft en haar er niet onder kreeg. Zij is een harde.'

'Ja, maar wat heb je eraan?'

'Soms heb je het nodig om overeind te blijven. Hard zijn is goed. Maar voor je het weet kachel je gewoon door als harde, daar weet ik alles van. Als je geluk hebt komt er iemand op je weg die je eraan herinnert dat het ook anders kan.'

'Alsof soft de oplossing is.'

'Dat bedoel ik niet. Niet bang zijn om geraakt te worden, dat bedoel ik. Jij en hij,' hij hield de glits even wat hoger, 'hebben haar geraakt. Zij wist niet dat dat kon.'

'Joop, ben je nu psycholoog of zo?'

Joop liet zijn tanden zien. Het was als lach bedoeld. 'Nu jij nog.'

'Ik nog?'

'Je laten raken.'

Boven hun hoofden klonken twee pistoolschoten. Droge, harde knallen die duidelijk niet thuishoorden in deze nacht. Joop duwde de glits in Jays armen en ging over ze heen gebogen staan. Gespannen wachtten ze af. Enorm gevloek volgde en er kwam iets van een balkon boven hun hoofd naar beneden zeilen. Als een te zware frisbee vloog het door de lucht en landde op het zand. Een rond hoofdkussen met twee gaten erin.

'Dat is Maas,' zei Jay.

'Doe niet zo raar, dat is Klein. Ik zou zijn vloek uit duizenden herkennen.'

'Nee, ik bedoel, wij hadden een pop, met zijn kleren, en dat kussen was zijn hoofd.'

Nu vloog er iets anders door de nacht. Iets met witte vleugels die tevergeefs flapperden in het duister. Het was het boek.

Joop wees naar het strand, weg van het hotel. 'Neem hem mee en verstop je. Kom pas tevoorschijn als het ochtend is en er mensen op het strand zijn. Als hij Ger heeft omgelegd dan maak ik hem af. Muf, hier!'

Voor Jay iets kon zeggen pakte Joop zijn hond op en met het dier in de plaats van de glits sloop hij als een bergkat van uitzonderlijke proporties de trap op.

Jay sloop langs de onderkant van de hoge boulevardmuur. Over houten vlonders en terrassen waar de parasols gebundeld in een hoek stonden. Het werd al licht. Alleen hier, vlak onder de muur was het nog echt donker. Twee torens van strandstoelen vlak naast elkaar gaven hem precies de ruimte die hij nodig had om ertussenin te kruipen. Wie zei dat strandstoelen 's nachts geen functie hadden?

Met de glits op schoot en zijn benen recht vooruit schoof Jay op zijn billen steeds meer naar achteren totdat hij de muur in zijn rug voelde. Zo hield hij het wel even uit. Het uitzicht was één ministrook strand tot aan het water en wat lucht. Een recht pad waar zijn blikveld niet van af kon wijken. Dit was alles wat hij had. Het maakte niet uit wat voor moois of afschuwelijks er zich boven of naast hem afspeelde. Dit was alles wat hij zag en dus was dit alles wat er bestond.

'Wat een rare, rare nacht,' fluisterde Jay.

'Goed,' murmelde de glits.

'Ook.' Jay hield hem even heel dicht tegen zich aan. Door de tunnelblik was het enige stukje lucht dat ze zagen ver weg in het westen, net boven de horizon. En in dat stukje was geen ster te zien. 'Of het zijn wolken, of het is het zwart tussen de sterren. Jij mag kiezen.'

De glits zei niets. Hoefde niets te zeggen.

'Morgen... straks. Dan ga je horen wat wij hier doen, hoe we zijn. Van een heleboel mensen.'

'Jij.'

'Nee, jij. Ik ben er ook bij natuurlijk.'

'Al.'

'Wat al? Ik ben al bij je. Klopt.' Hij drukte hem tegen zich aan.

'Weet al.'

'Wat weet je al?'

'Hoe... jullie zijn.'

'Wat bedoel je? Dat je het al weet... maar dat is niet handig. Er komen zoveel mensen speciaal om je dat te vertellen morgen... en weet je, daar valt nog zoveel over te leren. Wat heb je nou meegemaakt?

Je kent alleen Rachel en mij. En misschien wat politiemensen en die halve garen die die journalisten voor je geregeld hebben. Maar er is nog zoveel meer. Het leven bestaat uit zoveel dingen, joh. Zoveel kanten. Dat weet je nog niet. Dat weet ik zelfs nog niet.'

'Weet.'

'Maar je wilt nog wel? Je gaat toch wel?' Jay had moeite te blijven fluisteren. 'Iedereen is er. Tobias en Stein, weet je nog? En Bas van dat benzinestation. En mijn hele klas. Wat leraren van mijn school. Ze hebben ze allemaal uitgenodigd. Die staan over een paar uurtjes op om in een bus hiernaartoe te komen. Voor ons, voor jou. Misschien zelfs de kroonprins. Die wilde je toch ontmoeten?'

'Terug.'

'Wat wil je doen? Terug naar de politie? Geloof me, dat is het laatste wat je wilt doen.'

'Nu. Nog.'

'Wat bedoel je? Niet nog?'

'Nu. Zee.'

'Wat!' Nu fluisterde Jay niet meer.

'Zee.'

'Je maakt een grapje. Je weet wat er dan gebeurt. Dat gaan we echt nooit meer doen.'

'Zee.'

'Dat kan echt niet, echt niet. Anders is er geen jij meer. Dat wil je toch niet?'

'Zee.'

'Dat kan niet.' Hij hield de glits vaster dan ooit.

'Dat kan niet. Ik heb je nodig. Met jou is alles anders. Zonder jou is het een ramp. Wat is het? Zijn het je benen? We kunnen de beste dokters ernaar laten kijken, of protheses of misschien...' Jay voelde in zijn zakken of hij een potlood bij zich had. 'Misschien groeien ze weer aan als je op een harder potlood zuigt.'

'Niet.'

'Maar... Ik kan...'

'Weet.'

'Maar wat weet je, wat heb je nou gezien? Er is nog zoveel op deze planeet, wat mensen doen, wat ze kunnen. Je kunt hier een mensenleven lang rondlopen en dan nog heb je niet alles...'

'Terug.'

'Je wilt terug? Dat is niet terug. Je lost op. Dat is vernietiging. Dat is toch niet terug?'

'Terug.'

'Mijn hemel. Luister je niet?'

De glits zei niets meer.

Ze bleven beiden stil. Buiten hun schuilplaats vervaagde het zwart tussen de sterren al. De dageraad was begonnen vanaf het land de nacht en alles wat daarbij hoorde de zee in te drijven.

'Waarom was je hier?'

'Wat jullie doen...'

'... en hoe wij zijn. Ja, dat weten we. Maar wat kwam je dan precies doen en waarom? Waarom was je hier? Waarom breek je mijn hart? Je moet me meer geven dan dat.'

'Zee.'

'Flikker op met je zee. Wat ben je? Waarom ben je? Waarom ben je bij mij?'

'Zee.'

'Oké, ik breng je naar de zee als je dat wilt. Maar alleen als je mij wat vertelt. Snap je dan niet dat ik daaraan onderdoor ga. Dan moet ik wat terug hebben!'

De glits zei niets.

Jay keek voor zich. Er liep een vrouw met witte gymschoenen door het beeld. Ze zal vast meer aangehad hebben, maar meer viel hem niet op.

'En het is te snel. Ik leer je net kennen en je wilt al weg.'

'Kent me.'

'Maar niet alles. Niet de details. Er is nog zoveel meer dat ik zou willen...'

'Kent me altijd.'

Er wandelde een hond en daarachter een mens door hun beeld. Niet Joop. Zou hij Joop nog terugzien? Ger? Zou hij... Zou hij ooit Rachel terugzien?

Zo zaten ze zwijgend. Het zwart dat ze zagen was nu duidelijk blauw.

'Maar je snapt toch dat ik dat niet kan. Dat heeft niets met die anderen te maken, ik kan dat niet. Daar kom ik toch nooit overheen...'

Met wat gekletter veranderde er iets boven hun hoofden en er viel zonlicht binnen.

Iemand had een stapeltje strandstoelen van hun schuilplaats af gehaald. Het gebeurde nog een keer. En Jay keek recht in het gezicht van een jongen van zijn leeftijd met nauwelijks haar en een oorbel. 'Krijg de zenuwen! Gast! Wat doe je daar? Zit je te kakken?'

Jay kon nu opstaan en zich eruit wurmen. Hij droeg de glits voor zich.

'Gast, zeggen we niks?'

Jay draaide zich om. 'Sorry?'

'Sorry? Wat deed je daar?'

'Ja, goede vraag. Wat doen we hier... Wachten op de volgende dag?' Hij liep verder.

'Je bent gestoord, weet je dat?'

Jay stopte. Die opmerking deed pijn. Hij kneep zijn ogen even dicht en kon toen pas weer verder.

'Zee.'

'Niet nog,' zei Jay.

'Nu nog.'

Jay zuchtte en keek om zich heen. Er waren nog weinig mensen. Wachten zou het niet veel makkelijker maken en meer mensen om hem heen ook niet. Hij trok zijn groene overhemd uit en liep het water in. Hij bleef lopen. Toen het water tot heuphoogte kwam hees hij de glits op zijn nek en terwijl Jay hem goed bij zijn stompjes vasthield waadden ze samen de terugtrekkende nacht achterna.

Een toerist uit Canada met een Nikon-zoomlens maakte op dat moment een foto van hen. Die foto zou de man zijn hele leven bewaren. Voor hem was het de blote rug van een jongeman die in de ochtendzon was gaan baden met zijn zoon op zijn nek. Het jongetje was heel bijzonder op de foto gekomen, waarschijnlijk door een combinatie van zonnebrandolie en nat glinsterende huid waar het zonlicht dan op weerkaatste. Of de film was iets opgeschoven. In ieder geval zag je de kalme, parelblauwe zee die de nacht had achtergelaten door het jongetje heen. Recht door hem heen! Het greep de man aan. Een paar keer nam hij zich voor de foto in te sturen bij het Toronto Foto Festival, maar elke keer dat hij dan de foto goed bekeek werd hij gegrepen door een onverklaarbaar verdriet en vaak kon hij dan in zijn kop thee huilen, alsof er ergens een kleine wereld was vergaan.

Hij stuurde de foto niet in.

En dronk zijn thee ook niet meer.

'Dit is niet goed,' zei Jay.

'Goed,' zei het wezen.

Het uitzicht was fenomenaal. Laat de wereld maar naar de ondergaande zon kijken, de ondergaande nacht zou Jay de rest van zijn leven rillingen bezorgen, elke keer dat hij het zag. En hij zou er nooit genoeg van krijgen. De zee was kalm en grijsblauw zonder schittering. Niets hoefde mooier te zijn dan het was. Er was een diepte en grijsheid waar je vrede mee moest hebben. De zee wist wat er ging komen.

Jay deed wat stappen achteruit. Hij kon dit niet. Hij kon nog terug. Hij kon nog...

'Zwem.'

Met een moed die hij nog niet eerder bij zichzelf gevoeld had leunde hij voorover, leunde in het water dat over de hele planeet was geweest en nu net op dit moment voor hen lag, voor de kust van Scheveningen.

'Ja, Jay.'

Jay maakte een schoolslag en nog een en zoals het water je een gevoel van gewichtloosheid kan geven, zo verdween het gewicht om zijn nek. Hij draaide zich om. Zag de glits, drijvend, zwemmend, recht in de ogen. De parels die zo bij deze omgeving hoorden. Het wezen had de zon achter zich. Dat maakte hem moeilijker te zien. Maar hij was er nog, dat voelde Jay. Ook al zag je hem niet goed. Hij voelde zijn kracht bij hem vanbinnen. En hij bleef dat voelen. Een halfuur later, toen hij allang niet meer geloofde dat het wezen nog om hem heen zwom, voelde hij het nog.

Jay liep door het zand met de zon in zijn ogen. Toch liet hij een kaarsrecht spoor aan voetstappen achter zich.

Twee mannen wachtten hem op.

Jay stopte voor ze. Svensson en Klein.

'Het is over,' zei Jay.

'Ik zag het,' zei Klein. 'Wat was het nou volgens jou?'

Jay gaf geen antwoord.

'Waar kwam het nou vandaan?'

Jay draaide om zijn as om de zee nog één keer te zien. 'Waar we allemaal vandaan komen, denk ik.'

'Wat wilde het?'

Jay keek de man recht in de ogen. Die schoten onderzoekend van zijn linker- naar zijn rechteroog. 'Dat maakt niet uit. Het is over.'

Met zijn handpalmen tegen elkaar gaf Jay aan dat hij erdoor wilde. Een horizontaal bidgebaar. Klein stapte eerst opzij. Svensson bleef staan. Tot Klein een teken gaf.

Terwijl Jay voorbijliep vroeg Klein: 'En, heb je er nog iets aan overgehouden?'

Jay bleef rechtdoor lopen. De mannen keken hem na.

Een buitengewoon scherpe observator zou naast het voetspoor van Jay aan weerszijden een uiterst subtiele stippellijn in het zand hebben kunnen zien.

Misschien waren het de zijkanten van zijn gang waar hij middenin liep.

Misschien waren het de tranen die aan beide kanten opzij vielen.

Colofon

Glits van Robert Wolfe werd in opdracht van Uitgeverij De Harmonie gedrukt door HooibergHaasbeek te Meppel.

Met pen geschreven in Koffiehuis De Hoek

Omslagontwerp Magda Rijs
Typografie Michiel Niesen

Eerste druk september 2010

ISBN 978 90 6169 943 9

www.deharmonie.nl